KB023557

초등학생을 위한

표준 한국어

고학년

의사소통 2

초등학생을 위한

표준 한국어

국립국어원 기획 | 이병규 외 집필

고학년

의사소통 2

마리북스

발간사

다문화가정 학생 수는 매년 증가하여 2018년 12만여 명에 이릅니다. 그런데 중도입국자녀나 외국인 가정 자녀와 같은 다문화 학생들은 학령기 학생에게 기대되는 한국어 능력 수준에 이르지 못하는 경우가 많습니다. 이는 다문화 학생이 교과 학습 능력을 갖추지 못하거나 또래 집단 문화에 적응하지 못하는 결과로 이어지고, 결국 한국 사회에 안정적으로 정착하는 데 어려움을 겪는 주요한 원인이 됩니다. 따라서 다문화 학생을 위한 교육 지원은 보다 전문적이고 체계적으로 이루어져야 합니다.

학령기 한국어 학습자를 위한 정부 지원은 교육부에서 2012년에 '한국어 교육과정'을 개발하여 고시하였고, 국립국어원에서 교육과정을 반영한 학교급별 교재를 개발하면서 본격적으로 이루어졌습니다. 그 후 '한국어 교육과정'이 개정·고시(교육부 고시 제2017-131호)되었습니다. 이에 국립국어원에서는 2017년부터 개정된 교육과정에 따라 한국어 교재를 개발하고 있으며, 그 첫 번째 결과물로 초등학교 교재 11권, 중고등학교 교재 6권을 출판하게 되었습니다. 교사용 지도서는 별도로 출판은 하지 않지만 국립국어원 한국어교수학습샘터에 게시해 현장 교사들이 무료로 이용할 수 있게 하였습니다.

이번 교재 개발에는 언어학 및 교육학 전문가가 집필자로 참여하여 한국어 교육의 전문적 내용을 쉽고 친근하게 구성하기 위해 노력하였습니다. 특히 이 교재는 언어 능력 향상뿐만 아니라 서로 다른 문화를 이해하여, 한국 사회 구성원으로서 정체성을 확립하는 데 도움이 되도록 개발하였습니다.

아무쪼록 《초등학생을 위한 표준 한국어》 교재가 다문화가정 학생들이 한국어를 쉽고 재미있게 배워서 한국 사회에서 자신의 꿈을 키워 나가는 데 도움을 줄 수 있기를 바랍니다.

끝으로 이 교재의 개발을 위해 최선의 노력을 기울여 주신 교재 개발진과 출판사에 깊은 감사의 말씀을 드립니다.

2019년 2월

국립국어원장 소강춘

머리말

2012년 '한국어(KSL) 교육과정'이 고시되면서 초등 및 중등 학습자를 위한 한국어(KSL) 교육은 공교육의 체제 속에서 전개되어 왔습니다. 모어 배경과 문화, 생활 경험과 언어적 환경 등에서 매우 다양한 한국어(KSL) 학습자들은 '한국어(KSL) 교육과정'이 적용된《표준 한국어》교재를 배워 왔고 일상생활과 학교생활에 필요한 한국어 능력을 길러 왔습니다. 이제 학교에서의 한국어(KSL) 교육은 새로운 도약을 목전에 두고 있다고 할 수 있습니다. 지난 2017년에 '한국어(KSL) 교육과정'이 개정되면서, 개정 교육과정이 적용된 새로운 교재 11권이 세상에 빛을 보게 되었기 때문입니다.

새로 발행되는《초등학생을 위한 표준 한국어》교재 편찬에서는 두 가지 원칙을 분명히 하고 있습니다. 첫째, 개정된 교육과정의 관점과 내용 체계, 교재 개발을 위한 기초 연구의 성과 등을 충실하게 반영하는 것입니다. 〈의사소통 한국어〉 교재와 〈학습 도구 한국어〉 교재를 분권하는 것이나 학령의 특수성을 고려한 저학년용, 고학년용 교재의 구분 등은 이러한 맥락에서 실행되었습니다. 또한 교육과정에서 제시한 언어 재료는 주요한 내용 설정의 준거가 되었습니다. 더불어 '내용 모듈화'의 방안을 살려 학습자의 특성과 교육 현장의 필요에 적합한 내용 선택 및 재구성이 가능하도록 하였습니다.

둘째, 초등학생 한국어(KSL) 학습자와 교육 현장을 충분히 이해하고 고려하는 것입니다. 이를 위해 연구 집필진은 초등학생 한국어(KSL) 학습자의 언어 환경, 한국어 학습의 조건과 요구 등을 파악하는 데 많은 노력을 기울였습니다. 초등학생 학습자의 일상, 학교생활, 교과 수업의 장면을 주제화하고 이러한 주제를 중심으로 필수 어휘와 문법, 표현을 재선정하였습니다. 초등학생들에게 적합한 이미지 중심의 내용 제시, 놀이 활동의 강화, 한글 교육 내용의 특화 등도 강조하였습니다.

개정《초등학생을 위한 표준 한국어》교재의 편찬을 위해 많은 관심과 지원을 아끼지 않은 국립국어원 소강춘 원장님을 비롯한 관계자 여러분께 감사드립니다. 고된 작업 일정과 어려운 여건 속에서도 진심과 열정으로 임해 주셨던 연구 집필진 선생님들께, 그리고 마리북스 출판사에도 깊은 감사의 마음을 전합니다.

언어는 사람의 삶, 그 자체입니다. 초등학생 학습자들이 이 책을 가지고 한국어를 배우는 것으로 삶의 큰 기쁨과 힘을 얻기를 바랍니다. 새로운 세상을 열고 새로운 존재로서의 자신을 단단히 깨닫게 되기를 바라는 마음입니다.

2019년 2월

연구 책임자 이병규

일러두기

〈의사소통 한국어 2〉 고학년 교재는 초등학교 3~6학년 학생들이 일상생활과 학교생활을 하는 데 필요한 한국어 능력을 기를 수 있도록 개발되었습니다. 초등학교 3~6학년 학생들이 일상생활과 학교생활에서 자주 쓰는 한국어 어휘와 문법, 표현을 배울 수 있도록 하였고, 듣고 말하고 읽고 쓰는 문식 활동을 충분히 경험하도록 하였습니다. 이 교재는 전체 8단원으로 구성되어 있으며 각 단원의 1~6차시는 의사소통 능력을 키우기 위하여 반드시 기본적으로 배워야 하는 기능과 지식이 포함되어 있는 필수 차시이고, 7~10차시는 필수 차시 학습 내용을 다양한 말이나 글의 유형에 통합하여 심화 학습 할 수 있는 선택 차시로 구성하였습니다.

 해당 차시 목표 어휘  해당 차시 목표 문법  듣기 자료

이 책의 구성

단원	주제	기능	문법	어휘	문화	담화 유형
1	친구	• 친구와 인사하기 • 친구 칭찬하기	–게, –고, 에게 –어 주다, –어도 되다, –은 지	인사말, 상태 어휘, 동작 관련 어휘	인사 예절	대화, 초대장
2	가족과 친척	• 가족 소개하기 • 높임말 사용하기	–고 계시다, –고 있다, 께서, –는 것, –으시–	가족, 친척, 높임말	가족 예절	그림책, 소개문
3	학교 수업	• 학교 일과 말하기 • 학교 행사 말하기	–거나, –기, –기 전에, 부터, 까지, –은 것, –은 후에, –을 거예요	학습 관련 어휘, 시간 관련 어휘	악기	알림장, 일기
4	계절과 날씨	• 계절과 날씨 말하기 • 좋아하는 계절과 이유 말하기	–은, –으면, –어서, –을 수 있다	계절, 날씨, 계절 활동, 날씨 어휘, 계절별 장소	물놀이 안전 수칙	대화, 일기 예보, 일기
5	방학	• 방학 계획 말하기 • 경험 말하기	–으니까, –을 때, 이나, 이랑, –지 않다	여행 준비물, 문화생활, 행위 관련 어휘	한국 명승지	대화, 일기, 보고서
6	음식과 맛	• 맛 표현하기 • 좋아하는 음식 말하기	–는, –은, –을, –어 보다	음식 종류, 맛 관련 어휘, 먹는 방법, 요리법	세계 여러 나라의 특별한 날 먹는 음식	대화, 설명문
7	물건 사기	• 가격 말하기 • 물건 사기	보다, –지만, –을까요?, –는 편이다	가격, 가게 명사, 학용품, 돈 관련 어휘	한국의 전통 시장	소개문
8	예절	• 식사 예절 말하기 • 공공장소 예절 말하기	–어야 하다, –는 게 좋다, –지 말고, –을게요	공공장소 어휘, 예절 관련 어휘	세계 여러 나라의 식사 예절	대화, 안내문, 인터뷰

단원 구성과 교재 활용 방법

· 단원 구성

이 집은 필수 차시와
선택 차시로 완성됩니다.
필수 차시의
학습 주제 목록입니다.

학습 주제 목록입니다.

· 교재 활용

도입

단원 번호와 단원명
단원의 주제를 제목으로 제시하였습니다.

학습목표
단원의 학습 목표를 제시하였습니다.

도입 질문
단원 학습 주제와 관련된 단원 도입 질문 두 가지를 제시하였습니다.

1
친구
학습 목표
• 친구와 인사말을 할 수 있다.
• 친구를 소개하고 칭찬할 수 있다.
• 친구와 친하게 지내는 방법을 말할 수 있다.
• 친구들이 뭐 해요?
• 여러분은 친구들과 뭐 해요?

도입 장면
단원 주제와 관련되어 있으며, 학생들의 일상생활과 연계한 장면을 제시하였습니다.

필수 차시

차시 번호와 차시 제목
해당 차시의 주제를 제목으로 제시하였습니다.

듣기 자료
학습 대상 어휘나 문법의 도입, 대화, 읽기 자료가 녹음되어 있습니다.

제시 활동
해당 차시에 도입되는 학습 대상 어휘나 문법을 그림, 낱말, 대화, 글 등의 형식으로 제시하였습니다.

장면
학생들의 실제적인 언어 상황이 드러나도록 언어 활동 장면을 구성하였습니다.

글자 색깔
학습 대상 문법이 드러나도록 빨간색 글자로 표시하였습니다.

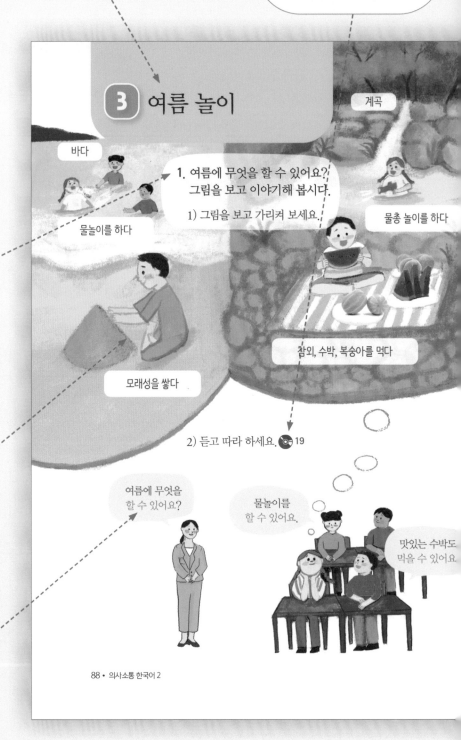

3 여름 놀이

바다

계곡

1. 여름에 무엇을 할 수 있어요? 그림을 보고 이야기해 봅시다.

1) 그림을 보고 가리켜 보세요.

물놀이를 하다

물총 놀이를 하다

참외, 수박, 복숭아를 먹다

모래성을 쌓다

2) 듣고 따라 하세요. 19

여름에 무엇을
할 수 있어요?

물놀이를
할 수 있어요.

맛있는 수박도
먹을 수 있어요.

88 • 의사소통 한국어 2

목표 어휘와 목표 문법

학습 대상 어휘나 문법을 확인할 수 있습니다.

물놀이를 하다, 모래성을 쌓다, 계곡, 물총 놀이를 하다, 참외, 수박, 복숭아, 물 미끄럼틀을 타다, 튜브를 타다

-을 수 있다

연습 활동

학습 대상 어휘나 문법을 장면, 그림, 게임 등을 통해 공부합니다. 익힘책이 활용됩니다.

2. 다음 그림에서 여름에 할 수 있는 것은 무엇입니까? 모두 찾아봅시다.

① 
② 
③ 
④ 

3. 여름에 가족과 여행을 가서 할 수 있는 일이 무엇입니까? 써 봅시다.

가고 싶은 곳: ______________________

할 수 있는 일: ______________________

① ______________________

② ______________________

③ ______________________

4. 날씨와 계절 • 89

적용 활동

학습한 내용을 일상생활에 적용하고 실천하며 내면화합니다. 익힘책이 활용됩니다.

선택 차시

차시 번호
7~10은 선택 차시를 나타냅니다.

차시 제목
선택 차시의 제목은 말이나 글의 유형과 언어 기능을 통합하여 제시합니다.

심화 학습 활동
선택 차시는 차시별로 말하기, 듣기, 쓰기, 읽기 심화 활동으로 구성하였습니다. 필수 차시에서 학습한 내용을 최대한 활용하여 다양하고 흥미로운 활동을 해 봄으로써 유창성을 향상시키고 더불어 자신감도 키울 수 있도록 하였습니다.

8 일기 예보 말하기

1. 대화를 듣고 질문에 대답해 봅시다. 24

1) 오늘 날씨가 어때요?

① ②  ③  ④ 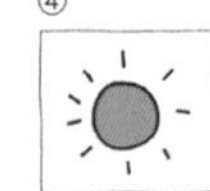

2) 지금 기온이 몇 도예요? 그림에 표시해 보세요.

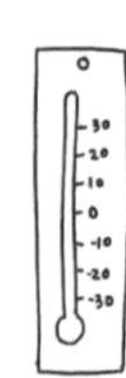

3) 내일 날씨를 알고 싶으면 무엇을 봐요?

98 • 의사소통 한국어 2

9 이야기

1. 이야기를 들어 봅시다

100 • 의사소통 한국어 2

언어 활동
동화 읽기, 노래하기, 놀이하기, 연극하기, 퍼즐 맞추기 등 다양한 유형의 활동을 통해 필수 차시에서 배운 어휘와 문법을 언어 기능과 함께 심화 학습을 합니다.

학습 전개

학습 내용에 따라
읽기 전–읽기 중–읽기 후
말하기 전–말하기 중–말하기 후 등
다양한 전개 방식으로 학습합니다.

문화 학습

전통문화, 생활 문화, 문화 비교, 안전 등
초등학생들이 접할 수 있는 다양한
문화 요소를 다룹니다.

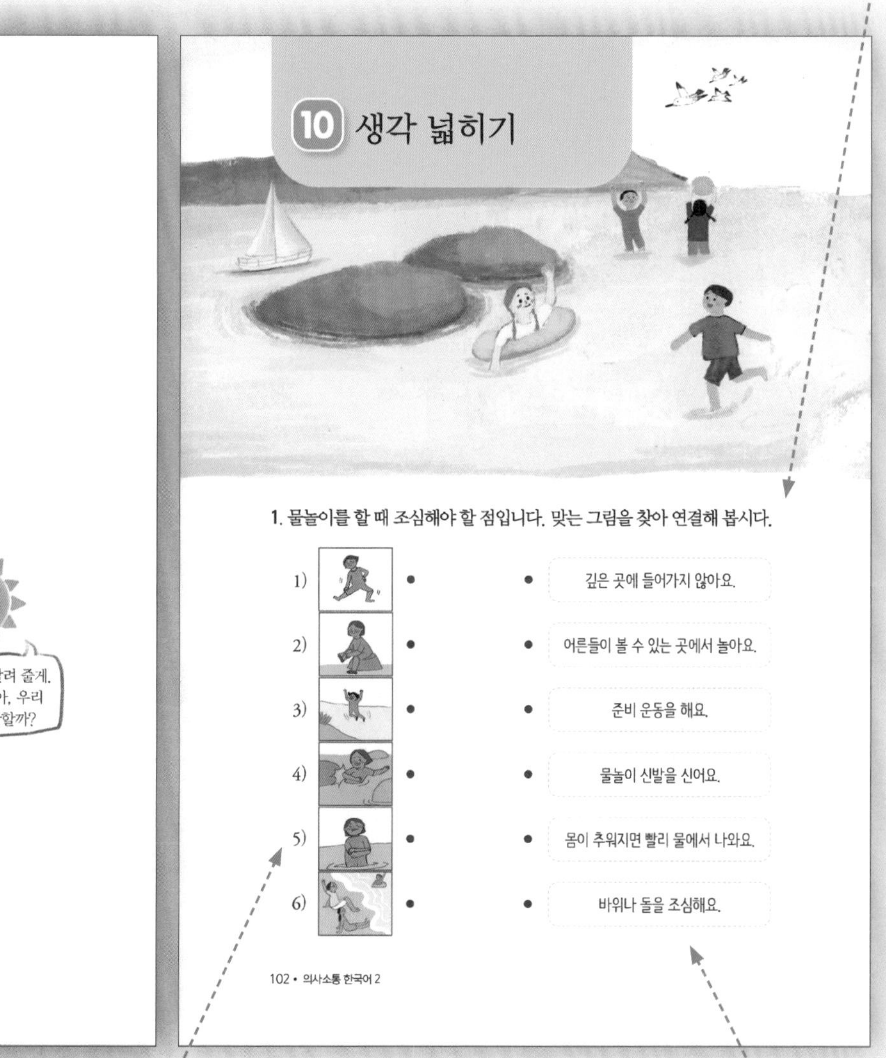

이솝 우화

내가 알려 줄게.
바람아, 우리
시합할까?

10 생각 넓히기

1. 물놀이를 할 때 조심해야 할 점입니다. 맞는 그림을 찾아 연결해 봅시다.

1) •　　• 깊은 곳에 들어가지 않아요.
2) •　　• 어른들이 볼 수 있는 곳에서 놀아요.
3) •　　• 준비 운동을 해요.
4) •　　• 물놀이 신발을 신어요.
5) •　　• 몸이 추워지면 빨리 물에서 나와요.
6) •　　• 바위나 돌을 조심해요.

102 • 의사소통 한국어 2

놀이를 통한 학습 활동

초등 학습자의 흥미를 높이면서도
학습 효과가 높은 말판 놀이, 십자풀이,
퍼즐 등을 통해 복습, 심화 학습을 합니다.

문화 의식

다양한 문화를 존중하는 상호 문화적
관점에서 문화를 학습합니다.

등장인물

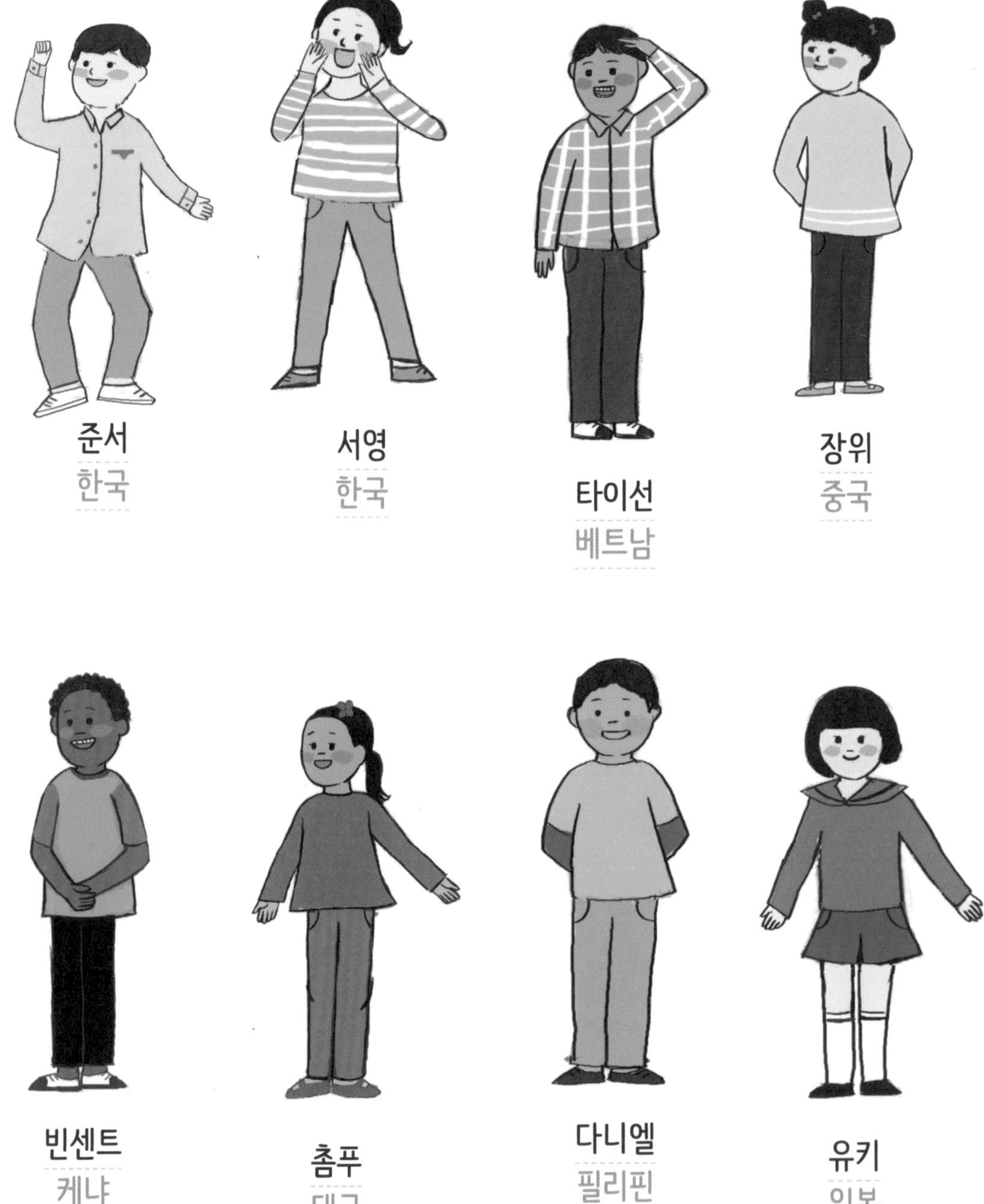

준서
한국
서영
한국
타이선
베트남
장위
중국
빈센트
케냐
촘푸
태국
다니엘
필리핀
유키
일본

오딜
우즈베키스탄

엠마
독일

자르갈
몽골

안찬원 선생님

강수연 선생님

이 책의 특징

2017 개정 교육과정에 따른《초등학생을 위한 표준 한국어》의 특징은 다음과 같습니다.

첫째, 한국어 능력이 없거나 현저히 부족한 학생이 대상이며, 다양한 수준의 학습자를 고려하여 교재를 모듈화하였습니다. 이 책은 크게 일상생활과 학교생활 적응을 위한 〈의사소통 한국어〉와 교과 학습 적응을 위한 〈학습 도구 한국어〉로 분권하였습니다. 〈의사소통 한국어〉는 저학년용 네 권, 고학년용 네 권으로 1권과 2권은 초급, 3권과 4권은 중급에 해당합니다. 각 권은 목표 어휘와 목표 문법 학습을 위한 필수 차시, 다양한 담화 유형과 듣기·말하기·읽기·쓰기 활동에 통합하여 반복·심화 학습이 이루어지도록 구성한 선택 차시로 구성되었습니다. 〈학습 도구 한국어〉는 교과 학습 적응을 지원할 수 있도록, 초등학교 교육과정의 학년군별 위계화에 따라 1~2학년군용, 3~4학년군용, 5~6학년군용 모두 세 권으로 분권하였습니다. 3권, 4권 학습자 중 학습 이해도가 빨라 선택 차시의 학습이 불필요한 경우에는 〈학습 도구 한국어〉의 해당 단원을 선택하여 학습할 수 있습니다.

둘째, 대상 학습자의 인지 발달 수준과 언어 경험 수준을 고려하여 교수요목을 재정비하였습니다. 학습자 개인에서 주변·사회로, 구체적인 경험에서 추상적인 경험으로 학습 주제와 내용을 확장하였고, 그와 관련된 핵심 어휘와 문법을 선정하여 교수·학습 내용으로 제시하였습니다.

셋째, 초등 학습 단계가 구체적 조작기임을 고려하여, 목표 어휘와 목표 문법을 추상적인 언어로 설명하는 방식이 아니라, 구체적이고 실제적인 한국어 활동의 장면을 이미지화하여 이를 통하여 교수·학습함으로써 쉽게 익힐 수 있도록 하였습니다.

넷째, 게임·노래·놀이·퍼즐 맞추기·역할극하기·만화 보기 등 초등학생들의 흥미를 유발할 수 있는 다양한 학습 장치를 활용하여 활동을 구성하였습니다.

다섯째, 필수 차시에서는 목표 어휘와 목표 문법을 듣기·말하기·읽기·쓰기 활동과 통합하여 총체적이고 실제적인 의사소통 능력을 기를 수 있도록 구성하였고, 선택 차시에서는 듣기·말하기·읽기·쓰기 활동이 통합된 특정 담화의 유형 속에서 목표 어휘와 목표 문법을 반복·심화 학습하여 담화의 생산과 수용 능력을 기를 수 있도록 하였습니다.

여섯째, 매 차시 학습 전개 순서를, 학습 내용 확인을 위한 '제시 활동 단계', 확인한 학습 내용을 연습할 수 있는 '연습 활동 단계', 연습한 학습 내용을 일상생활에 적용하고 실천하여 내면화할 수 있는 '적용 활동 단계'로 나누어 구성하였습니다.

일곱째, 〈학습 도구 한국어〉는 수업 장면에서 반복되는 교실 어휘와 각 학년군의 국어·수학·사회·과학 교과서에 반복해서 등장하는 사고 도구 어휘·범용 지식 어휘를 학습 내용으로 선정하고, 그 어휘가 등장하는 수업 장면과 교과서를 활용하여 교수·학습 자료로 구성하였습니다.

여덟째, 〈의사소통 한국어〉나 〈학습 도구 한국어〉에서 연습 활동이 충분히 이루어지지 못한 경우는《초등학생을 위한 표준 한국어 익힘책》에서 보충할 수 있도록 연계하였습니다.

차례

필수

1 친구와 인사하기
2 새 짝
3 친구에게 부탁하기
4 친구 집
5 친한 친구
6 친구 칭찬하기

선택
7 친절하게 말하기
8 소개 글과 초대장 쓰기
9 이야기 읽기
10 생각 넓히기

1

친구

학습 목표

- 친구와 인사말을 할 수 있다.
- 친구를 소개하고 칭찬할 수 있다.
- 친구와 친하게 지내는 방법을 말할 수 있다.

- 친구들이 뭐 해요?
- 여러분은 친구들과 뭐 해요?

1 친구와 인사하기

만나서 반가워.

잘 가!

안녕!

1. 친구와 인사해 봅시다. 1

1) 듣고 그림을 가리키세요.

2) 다시 듣고 따라 하세요.

2. '인사하기' 노래를 해 봅시다. 2

1) 노래를 배워요.

○○○에 인사말을 넣어요.

2) 노래를 바꿔 불러요.

우리 우리 친구들. 안녕, ○○.
새 친구와 인사해. ○○○.

헤어질 때 인사해. ○○, ○○.
도와줄 때 인사해. ○○○.

안녕, 만나다, 반갑다,
도와주다, 고맙다,
괜찮다, 축하하다

괜찮아?

고마워.

축하해!

3. 그림 카드를 보고 인사말을 해 봅시다. 부록

〈놀이 방법〉

① 그림 카드를 책상 위에 놓아요.

② 가위바위보를 해요.

③ 이긴 사람이 그림 카드 1장을 골라요.

④ 그림을 봐요. 그리고 인사말을 해요.

⑤ 그림 카드를 가져요.

⑥ ②~⑤를 여러 번 해요.

▶ 누가 그림 카드가 많아요?

2 새 짝

1. 새 짝을 만났습니다. 이야기를 들어 봅시다. 3

1) 듣고 가리켜 보세요.

2) 다시 듣고 따라 하세요.

3) 〈보기〉의 낱말을 빈칸에 써 보세요.

〈보기〉 길다 짧다 크다 작다

머리카락이 ______. 머리카락이 ______. 키가 ______. 키가 ______.

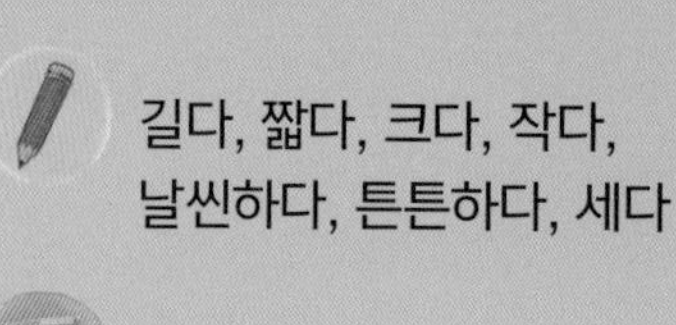

길다, 짧다, 크다, 작다,
날씬하다, 튼튼하다, 세다

-고

2. 짝과 동물 이야기를 해 봅시다. 어울리는 것을 연결하고 읽어 봅시다.

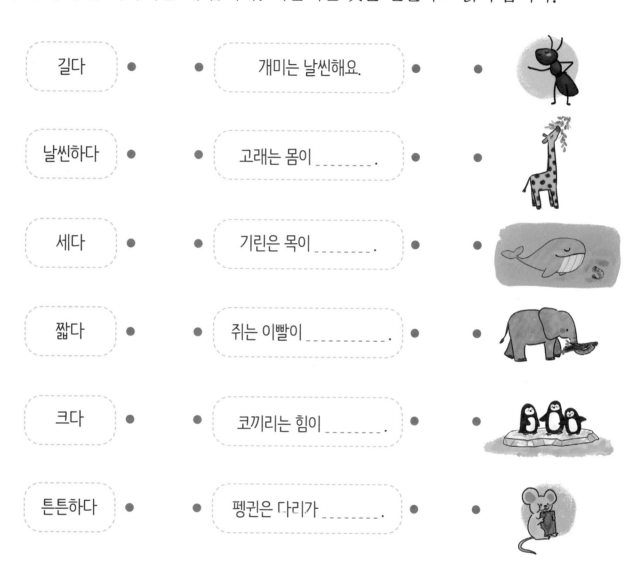

길다	개미는 날씬해요.	
날씬하다	고래는 몸이 ________.	
세다	기린은 목이 ________.	
짧다	쥐는 이빨이 ___________.	
크다	코끼리는 힘이 ________.	
튼튼하다	펭귄은 다리가 ________.	

3. '누구일까요?' 놀이를 해 봅시다.

- 친구를 소개해요.

① 내 친구는 목소리가 큽니다.
② 내 친구는 키가 크고 다리가 깁니다.
내 친구는 누구일까요?

- 누구인지 말해요.

내 친구는 __________ 입니다.

3 친구에게 부탁하기

1. 다니엘과 장위의 대화를 읽어 봅시다.

1) 다니엘이 누구에게 전화해요?

2) 장위가 어디에서 뭐 해요?

3) 다니엘은 약속 장소를 누구에게 알려 줘요?

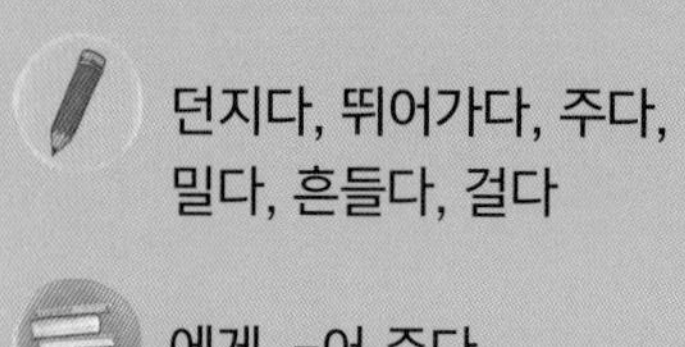

2. 1번 그림을 보고 〈보기〉와 같이 말해 봅시다.

1) 누가 누구에게 무엇을 해요?

〈보기〉 다니엘/장위/전화를 걸다
➡ 다니엘이 장위에게 전화를 걸어요.

① 타이선/친구/공을 던지다 ② 준서/동생/딱지를 주다
③ 유키/언니/뛰어가다

2) 누가 무엇을 해 주었어요?

〈보기〉 준서/가방/들다
➡ 준서가 가방을 들어 주었습니다.

① 오딜/그네/밀다 ② 엠마/목걸이/걸다 ③ 서영/손/흔들다

3. 친구에게 부탁해 봅시다.

4 친구 집

1. 친구 집에 놀러 갔습니다. 대화를 읽어 봅시다.

1) 엠마가 유키 집에 들어가요. 어떻게 말해요?

2) 유키 방은 어때요?

3) 유키가 엠마에게 무엇을 줬어요? 그리고 왜 줬어요?

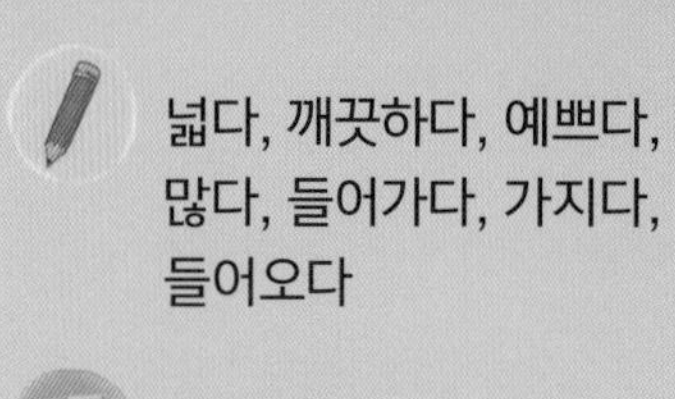

넓다, 깨끗하다, 예쁘다,
많다, 들어가다, 가지다,
들어오다

2. 그림을 보고 대답해 봅시다.

1) 알맞은 낱말에 ○표 해 보세요.

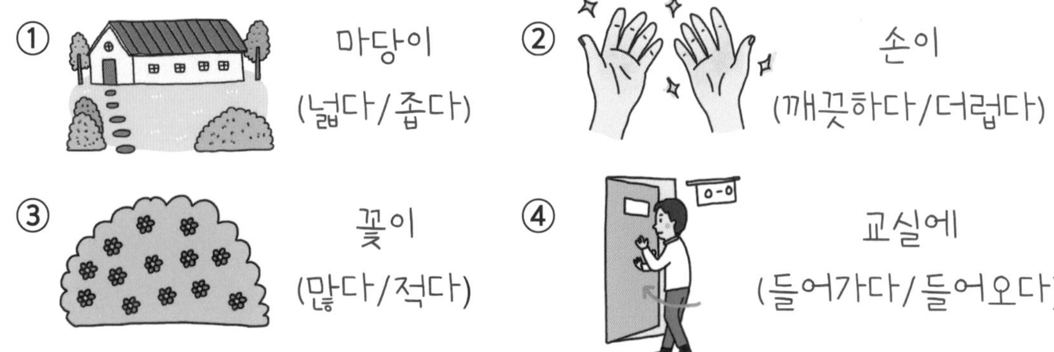

2) 그림에 어울리는 말을 해 보세요.

오늘 너희 집에 __________?
(가다)
괜찮아.
오후에 와도 돼.
선생님, 너무 급해요.
화장실 __________?
(다녀오다)

3. '허락하기 놀이'를 해 봅시다.

〈놀이 방법〉

① 하고 싶은 행동을 해도 되는지 친구에게 물어봐요.
② 다른 친구는 허락하거나 허락을 하지 않아요.
③ 친구가 허락하면 행동을 해요.

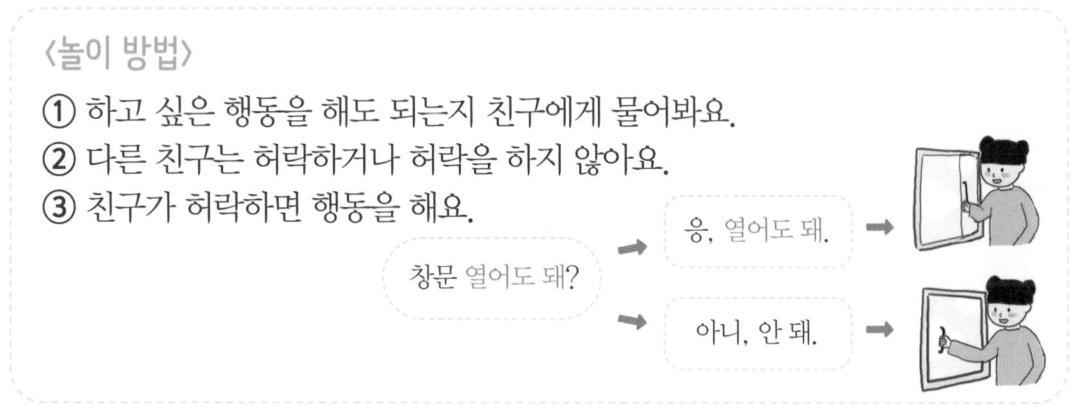

창문 열어도 돼?
응, 열어도 돼.
아니, 안 돼.

5 친한 친구

1. 엠마의 글을 선생님과 읽어 봅시다.

서영이가 좋아요

서영이는 친구와 친하게 지내요.
서영이는 잘 웃고 이야기를 재미있게 해요.
친구 말을 잘 들어주고 친절하게 말해요.

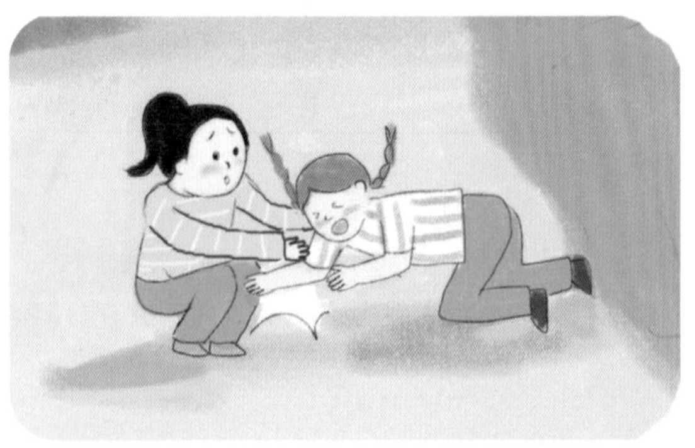

나는 오늘 운동장에서 넘어졌어요.
무릎에서 피가 났어요.
눈에서 눈물이 흘렀어요.
"괜찮니? 울지 마."
서영이가 내 손을 잡아 주었어요.
서영이는 정말 착하고 친절해요.
나는 서영이가 좋아요.

1) 서영이는 친구와 어떻게 지내요?

2) 서영이가 나에게 어떻게 했어요?

3) 나는 서영이를 어떻게 생각해요?

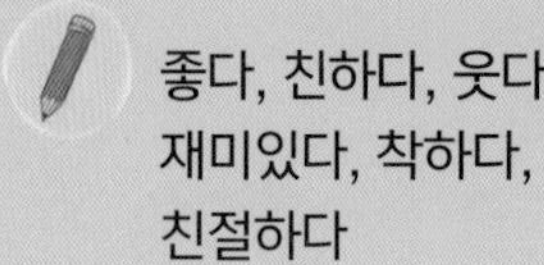

좋다, 친하다, 웃다,
재미있다, 착하다,
친절하다

-게

2. 〈보기〉와 같이 말해 봅시다.

〈보기〉 지민이는 이야기를 재미있게 해요.
(재미있다)

① 서영이가 머리를 ______________ 잘랐어요.
(짧다)

② 글씨가 너무 작아요. 글씨를 ______________ 써 주세요.
(크다)

③ 다니엘이 나에게 약속 장소를 ______________ 알려 주었어요.
(친절하다)

3. 좋은 말로 ♡를 만들어 봅시다. 붙임 딱지

1) 어떻게 친구와 친하게 지내요? 붙임 딱지를 ◇에 붙이고 ♡를 만드세요.

2) ♡ 속의 문장을 친구와 크게 읽어 보세요. 그리고 서로 약속해요.

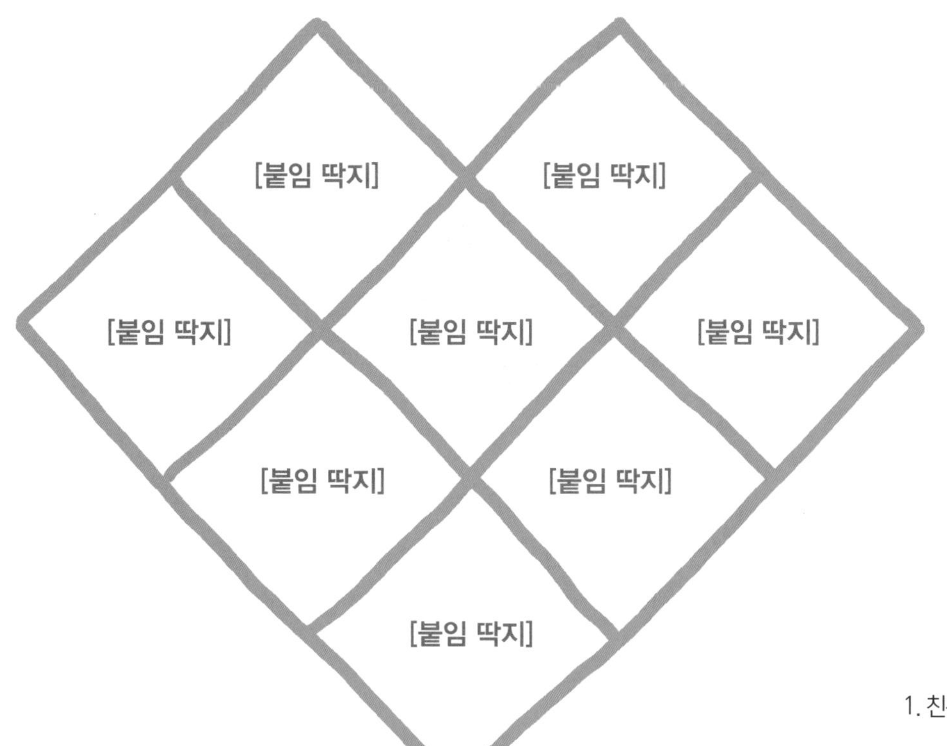

6 친구 칭찬하기

1. 빈센트가 전학을 왔어요. 대화를 들어 봅시다. 4

1) 빈센트와 선생님의 대화를 들으세요.

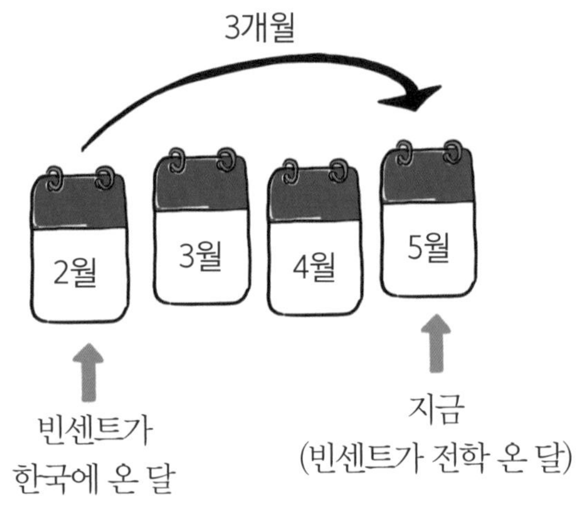

2) 빈센트는 한국에 온 지 얼마나 됐어요?

3) 다시 듣고 쓰세요.

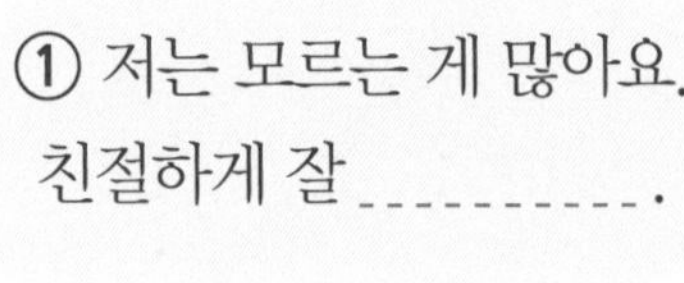

① 저는 모르는 게 많아요. 친절하게 잘 __________.

② 빈센트는 한국에 __________ 3개월 됐어요.

4) 여러분은 한국에 온 지 얼마나 됐어요?

- 나는 한국에 온 지 ______________ 됐어요.

2. 〈보기〉와 같이 묻고 대답해 봅시다.

〈보기〉 한국에 온 지 얼마나 됐어요?
➡ 한국에 온 지 3개월이 됐어요. (한국/오다/3개월)

① 비가 너무 안 와요. 비가 안 온 지 얼마나 됐어요?

➡ ______________________ (비/안 오다/한 달)

② 빈센트가 아직 집에 안 와요. 수업이 끝난 지 얼마나 됐어요?

➡ ______________________ (수업/끝나다/30분)

3. 친구를 칭찬해 봅시다.

1) 〈보기〉와 같이 친구를 칭찬해 보세요.

〈보기〉
바이올린 배운 지 얼마나 됐어? 바이올린 참 잘한다.
바이올린 배운 지 3개월 됐어. 칭찬해 줘서 고마워.
①
한국어/3개월
②
태권도/2개월
③
피아노/1년
④
수영/2년

2) 친구를 칭찬해 보세요.

7 친절하게 말하기

1. 어떤 말이 기분이 좋아요? 친절하게 말하고 친구의 말을 잘 들어 봅시다.

1) 기분 좋은 말을 생각해요.

2) '친절하게 말하기 놀이'를 해요.

〈놀이 방법〉

① 4칸 쪽지와 연필을 준비해요.
② 선생님께서 음악을 들려줘요. 음악을 듣고 교실을 천천히 걸어요.
③ 선생님께서 음악을 멈춰요. 여러분도 멈춰요.
④ 가까이에 있는 친구와 가위바위보를 해요.
⑤ 가위바위보에서 진 사람이 이긴 사람에게 친절하게 말을 해요.
⑥ 이긴 사람은 "고마워."라고 말하고, 쪽지에 친구의 말을 적어요.
⑦ 4칸 쪽지가 다 차면 자기 자리에 앉아요.

친절하게 말해요

3) 여러분은 어떤 말이 가장 기분이 좋았어요?

2. 친구에게 허락을 받고 미래의 집을 설명해 봅시다.

1) 유키가 엠마의 설명을 듣고 그림을 그렸어요.
설명에 맞게 하나하나 가리켜 보세요.

엠마: 준비됐어?
유키: 응, 설명해도 돼.
엠마: 미래의 나의 집은 마당이 넓어.
마당에 꽃이 많고, 나무도 커.
지붕이 높아.

유키의 그림

2) 여러분도 아래의 낱말을 넣어서 미래의 집을 설명해 보세요.

길다　　깨끗하다　　넓다　　높다
많다　　예쁘다　　짧다　　크다　　튼튼하다

3) 친구의 설명을 듣고 그림을 그려 보세요.

8 소개 글과 초대장 쓰기

1. 나를 소개해 봅시다.

1) 선생님과 함께 읽어 보세요.

안녕하세요. 장위입니다.
저는 중국에서 왔습니다.
저는 달리기를 잘하고
그림 그리기를 좋아합니다.
한국에 온 지 3개월이 되었습니다.

2) 내 이야기를 써 보세요.

안녕하세요. ______________________.

저는 ______________ 에서 왔습니다.

저는 ______________________ 고,

______________________.

한국에 ______________ 이/가 되었습니다.

2. 생일 초대장을 써 봅시다.

1) 선생님과 함께 읽어 보세요.

초대합니다
안녕, 타이선이야.
O월 O일이 내 생일이야.
꼭 와 줘. 그리고 축하해 줘.
언제: O월 O일 토요일, 오후 1시
어디서: 한국 놀이터
연락처: 010-1234-5678

2) 내 이야기를 써 보세요.

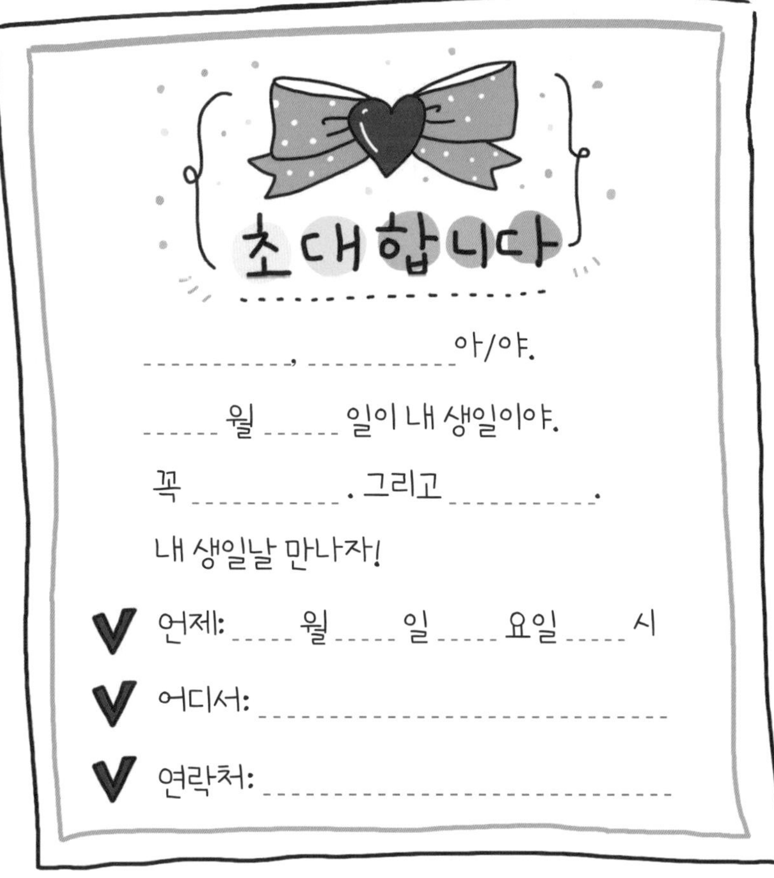

9 이야기 읽기

1. 만화를 읽고 질문에 대답해 봅시다.

1) 왜 오성이 한음의 몸을 찔렀어요?

2) 왜 한음은 오성이 찔렀다고 말하지 않았어요?

3) 친구가 여러분을 생각해 준 경험이 있어요? 친구들에게 이야기해 보세요.

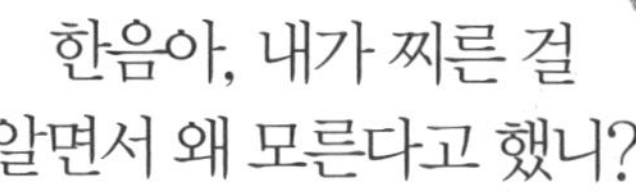
한음아, 내가 찌른 걸
알면서 왜 모른다고 했니?

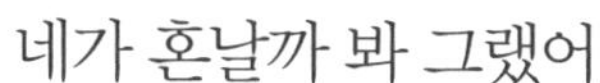
네가 혼날까 봐 그랬어.

나를 생각해 줘서 고마워.
앞으로도 친하게 지내자.

2. 친구와 역할극을 해 봅시다.

오성: 한음아, 내가 찌른 걸 알면서
왜 모른다고 했니?

한음: 네가 혼날까 봐 그랬어.

오성: 나를 생각해 줘서 고마워.
앞으로도 친하게 지내자.

한음: 그러자.

10 생각 넓히기

1. 예쁘게 인사해 봅시다.

학교에 가요.

선생님을 만났어요.

음식을 먹어요.

학교에서 돌아왔어요.

부모님께서 돌아오셨어요.

잠을 자요.

2. 여러 나라의 인사를 해 봅시다.

3. '인사하기 놀이'를 해 봅시다. 부록

〈놀이 방법〉

① 그림 카드를 여러 장 들고 두 줄로 둥글게 서요.

② 노래를 불러요. 그리고 서로 반대쪽으로 돌아요.
"우리 우리 친구들 안녕, 안녕. 친구에게 인사해."

③ 노래가 끝나고 그림 카드를 뽑아요.

④ 그림 카드를 보고, 서로 인사해요.

선택

7 가족과 한 일 쓰기
8 효도 이용권 만들기
9 이야기 읽기
10 생각 넓히기

필수

1 우리 가족
2 가족사진
3 가족 소개
4 가족 행사
5 가족 안부
6 친척

2

가족과 친척

학습 목표

- 가족을 소개할 수 있다.
- 높임말을 사용할 수 있다.
- 친척 호칭을 말할 수 있다.

- 가족과 뭐 해요?
- 어떤 친척이 있어요?

1 우리 가족

1. 친구들과 가족에 대해 이야기해 봅시다.

1) 서영이와 타이선의 가족이 몇 명이에요?

2) 서영이와 타이선의 가족을 말해 보세요.

아버지, 어머니, 할아버지, 할머니, 오빠, 언니, 형, 누나, 동생, 남동생, 여동생

2. 〈보기〉에서 알맞은 낱말을 찾아 빈칸에 써 봅시다.

〈보기〉 할아버지 할머니 아버지(아빠) 어머니(엄마) 형 누나 오빠 언니 여동생 남동생

나

나

3. 〈보기〉의 낱말에서 나의 가족에 동그라미를 그리고 친구와 선생님께 소개해 봅시다.

저는 서영이에요. 저는 아버지, 어머니, 언니와 같이 살아요. 우리 가족은 모두 4명이에요.

〈보기〉 할아버지 할머니 아버지(아빠) 어머니(엄마) 형 누나 오빠 언니 여동생 남동생

2 가족사진

1. 가족사진을 보고 이야기해 봅시다.

1) 바닷가에 누가 있어요?

2) 방에서 누가 자요?

3) 듣고 따라 하세요. 5

유키가 수영을 합니다.
아버지께서 수영을 하십니다.
유키가 웃습니다.
어머니께서 웃으십니다.

동생이 방에 있습니다.
어머니께서 방에 계십니다.
동생이 낮잠을 잡니다.
어머니께서 낮잠을 주무십니다.

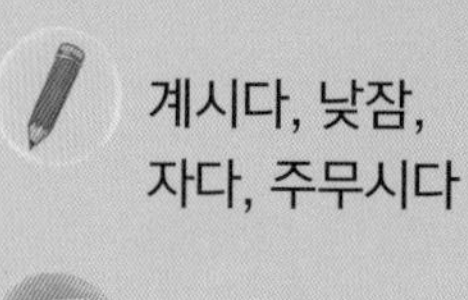

계시다, 낮잠,
자다, 주무시다

께서, -으시-

2. 그림과 어울리는 문장을 연결하고 써 봅시다.

아버지께서 요리를 ________________.

어머니께서 책을 ________________.

할아버지께서 ________________.

할머니께서 ________________.

3. 가족이 무엇을 하는지 말해 봅시다.

할아버지께서
주무십니다.

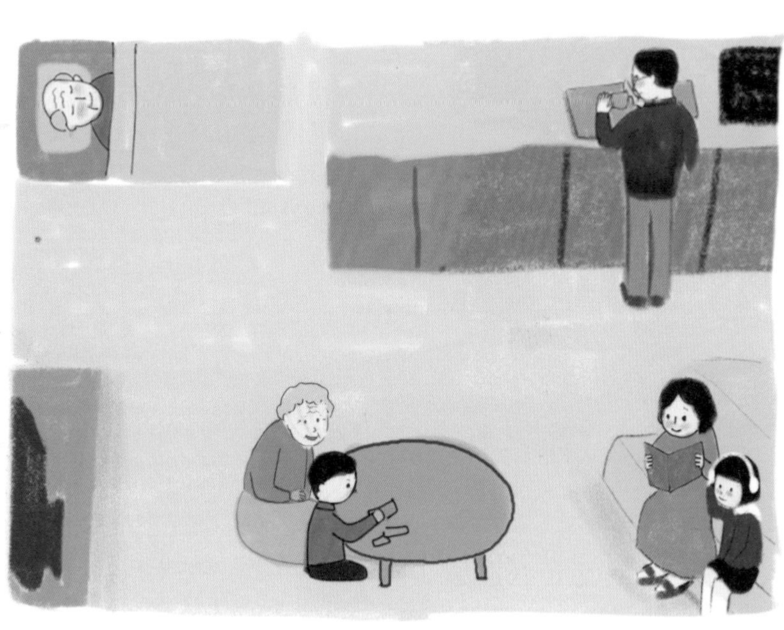

3 가족 소개

1. 장위의 가족을 소개해 봅시다. 6

1) 잘 듣고 가리키세요.

2) 다시 듣고 써 보세요.

아버지께서는 회사에 ______________________.

어머니께서는 선생님______________________.

동생은 유치원에 ______________________.

3) 장위와 아빠는 뭐 하는 것을 좋아해요?

장위는 음악 듣는 것을 좋아해요.

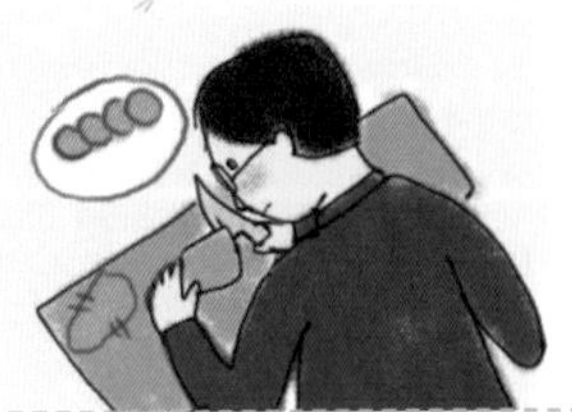

아빠는 요리하는 것을 좋아하세요.

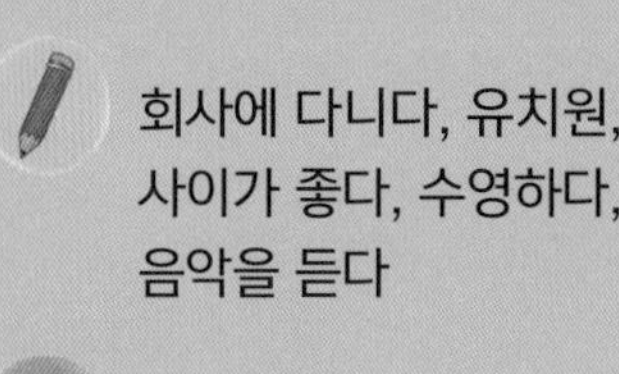

-는 것

2. 장위의 가족이 좋아하는 것을 연결하고 말해 봅시다.

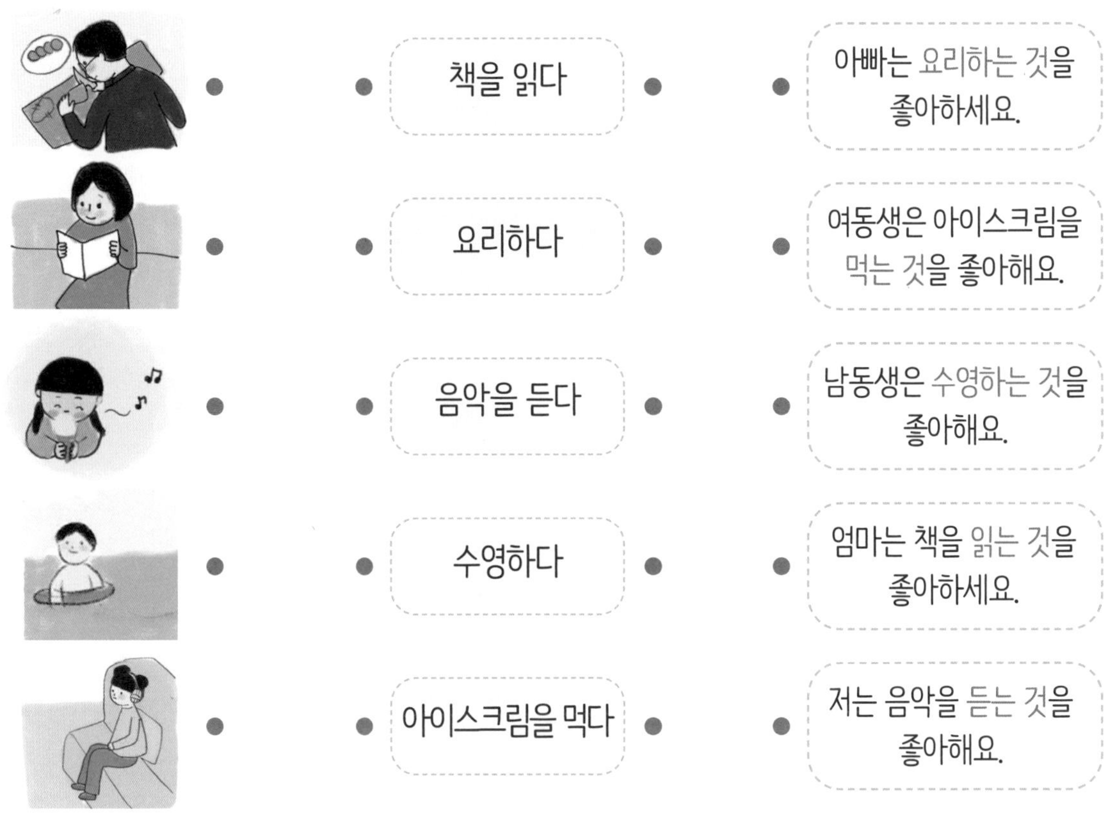

책을 읽다
요리하다
음악을 듣다
수영하다
아이스크림을 먹다
아빠는 요리하는 것을 좋아하세요.
여동생은 아이스크림을 먹는 것을 좋아해요.
남동생은 수영하는 것을 좋아해요.
엄마는 책을 읽는 것을 좋아하세요.
저는 음악을 듣는 것을 좋아해요.

3. 장위처럼 여러분도 친구들에게 가족사진을 보여 주고 소개해 봅시다.

저는 장위예요.
우리 가족은 모두 네 명이에요.
아버지께서는 회사에 다니세요. 요리하는 것을 좋아하세요.
어머니께서는 선생님이세요. 책 읽는 것을 좋아하세요.
동생은 유치원에 다녀요. 아이스크림 먹는 것을 좋아해요.
저는 음악 듣는 것을 좋아해요.
우리 가족은 사이가 좋아요.

4 가족 행사

1. 서영이의 가족이 작년에 한 행사입니다. 같이 이야기해 봅시다.

1) 위 그림을 보고 어떤 행사가 있었는지 읽어 보세요.

2) 서영이의 가족 행사표를 만들고 소개하세요.

행사 월	행사 이름
1월	설날 가족 모임
2월	언니 중학교 (　　　　　　)
3월	동생 초등학교 (　　　　　　)
5월	어버이날 가족 모임
7월	가족 여행
9월	아빠 (　　　　　　)
10월	엄마 (　　　　　　), 내 생일
12월	동생 생일

10월에 엄마 생신 파티를 했어요.

설날, 세배, 졸업, 입학, 어버이날, 가족 여행, 생신

2. 그림에 어울리는 낱말을 연결해 봅시다.

3. 올해 나의 가족 행사표를 만들어 봅시다. 부록

5 가족 안부

1. 전화로 가족 안부를 묻고 대답해 봅시다. 7

1) 서영이가 엄마와 통화를 해요. 듣고 따라 하세요.

2) 서영이, 아빠, 동생들이 뭐 해요?

3) 여러분 가족은 집에서 주로 뭐 해요?

2. 그림을 보고 〈보기〉와 같이 묻고 대답해 봅시다.

〈보기〉 장위가 무엇을 하고 있어요? 장위가 음악을 듣고 있어요.

어머니께서 무엇을 하고 계세요? 어머니께서 책을 읽고 계세요.

3. 친구의 행동을 보고 말해 봅시다.

준서가 스케이트를 타고 있어요.

6 친척

1. 준서의 동생 생일(돌잔치)에 친척들이 모였어요. 선생님과 같이 이야기해 봅시다.

1) 내 동생 생일(돌잔치)에 누가 모였어요?

2) 빈칸에 알맞은 낱말을 쓰세요.

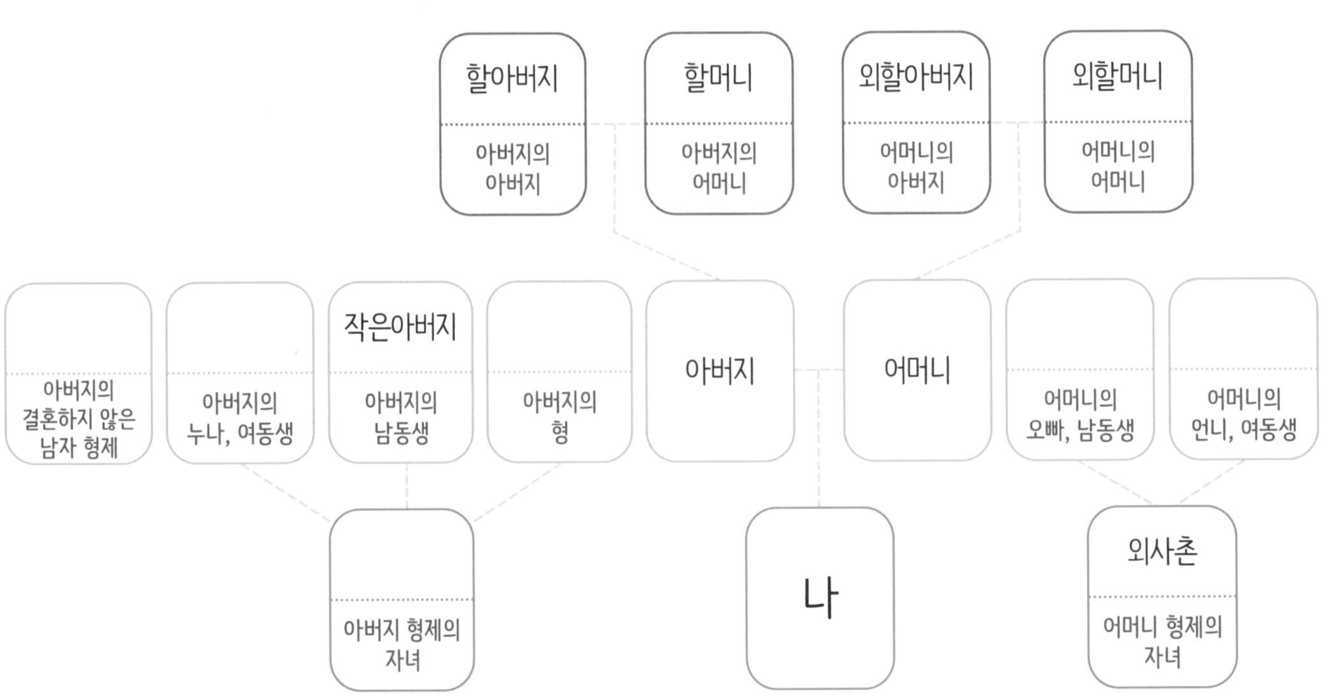

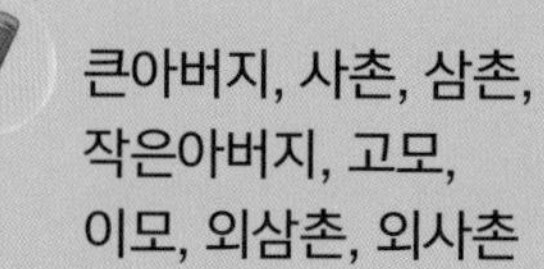

큰아버지, 사촌, 삼촌,
작은아버지, 고모,
이모, 외삼촌, 외사촌

2. 친척 호칭 게임을 해 봅시다.

〈놀이 방법〉

① 빙고 칸에 친척 호칭을 써요.
② 순서대로 친척 호칭을 말해요.
③ 먼저 3칸을 채워 한 줄이 되도록 해요.

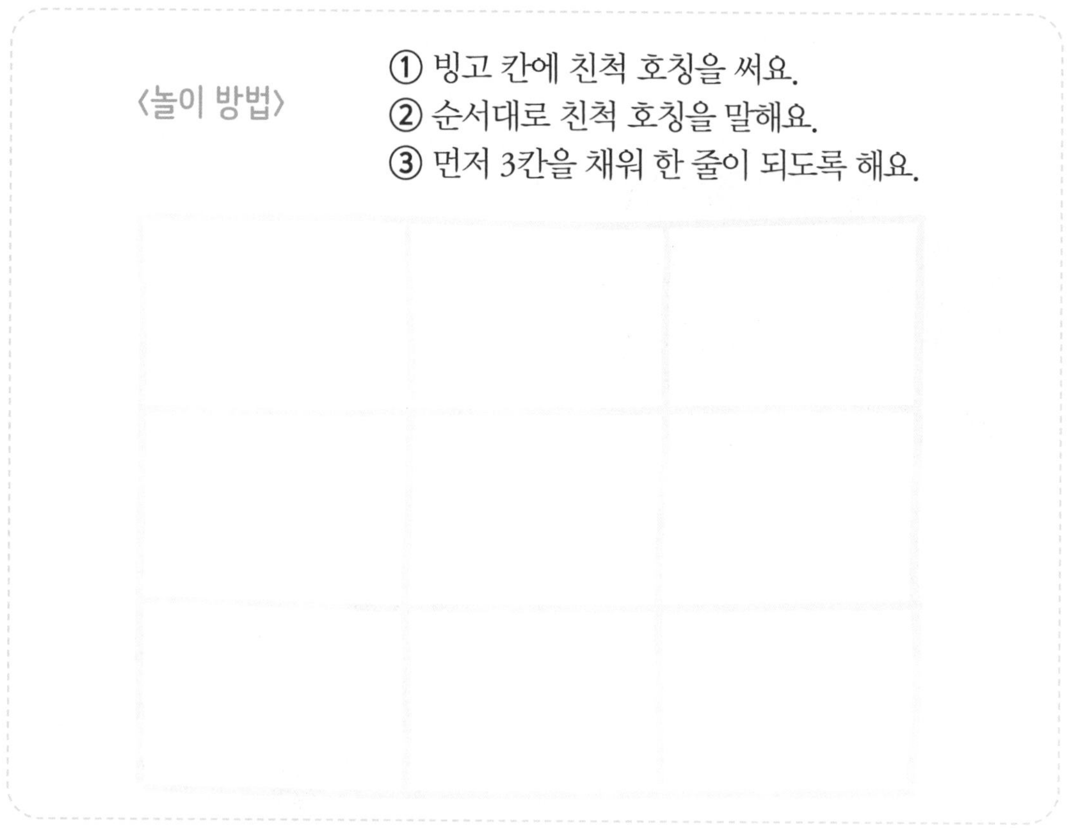

3. 나의 친척을 쓰고 소개해 봅시다.

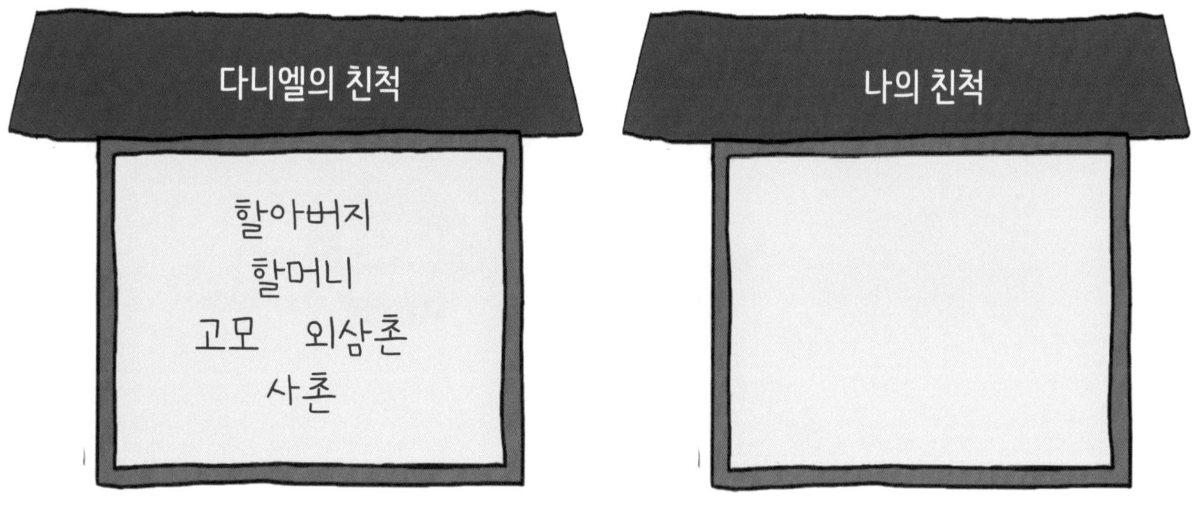

7 가족과 한 일 쓰기

1. 준서가 가족사진을 설명합니다. 같이 읽어 봅시다.

1) 누구 생신이에요?

외할머니 생신이에요.
어머니와 이모께서 음식을 만드세요.
아버지께서 식탁을 정리하세요.
형이 케이크를 샀어요.
나는 외할머니께 선물을 드렸어요.
모두 같이 생일 축하 노래를 불렀어요.

2) 다시 읽고 누구인지 쓰세요.

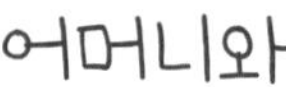

2. 엄마의 가족사진을 보고 글을 써 봅시다.

태국에서 코끼리를 탔어요.

할아버지_____ 동생을 코끼리 등에 올려

______________(주다).

코끼리 등이 아주 높았어요.

동생이 무서워서 울었어요.

할아버지_____ 동생을 보고 __________(웃다).

나도 웃었어요.

8 효도 이용권 만들기

1. 유키와 엄마의 대화를 들어 봅시다. 8

1) 두 사람의 대화를 듣고 따라 하세요.

2) 다시 듣고 대답하세요.

① 유키가 왜 효도 이용권을 만들었어요? ② 어버이날이 언제예요?
③ 유키가 만든 효도 이용권 3개를 말하세요.

2. 그림을 보고 〈보기〉의 효도 이용권 번호를 써 봅시다.

〈보기〉
① 심부름 이용권 ② 설거지 이용권 ③ 일찍 일어나기 이용권
④ 안마하기 이용권 ⑤ 안아 주기 이용권 ⑥ 정리하기 이용권

3. 부모님, 할머니, 할아버지께 드릴 효도 이용권을 만들어 봅시다.

심부름 이용권

저는 부모님께서 부탁하시는 심부름을 열심히 하겠습니다.

사용 기간: 10월 15일까지

________ 이용권

저는 ________께서 부탁하시는 ________을/를 열심히 하겠습니다.

사용 기간: ____월 ____일까지

________ 이용권

저는 ________께서 부탁하시는 ________을/를 열심히 하겠습니다.

사용 기간: ____월 ____일까지

________ 이용권

저는 ________께서 부탁하시는 ________을/를 열심히 하겠습니다.

사용 기간: ____월 ____일까지

________ 이용권

저는 ________께서 부탁하시는 ________을/를 열심히 하겠습니다.

사용 기간: ____월 ____일까지

________ 이용권

저는 ________께서 부탁하시는 ________을/를 열심히 하겠습니다.

사용 기간: ____월 ____일까지

________ 이용권

저는 ________께서 부탁하시는 ________을/를 열심히 하겠습니다.

사용 기간: ____월 ____일까지

________ 이용권

저는 ________께서 부탁하시는 ________을/를 열심히 하겠습니다.

사용 기간: ____월 ____일까지

9 이야기 읽기

1. 이야기를 읽어 봅시다.

가족을 화나게 할 때

내 방에 쓰레기가 많다.
청소는 한 번도 안 한다.

가족과 대화를 안 하고,
매일 컴퓨터 게임만 한다.

늦게 자고 늦게 일어난다.

밥을 먹고
식탁을 정리하지 않는다.

2. 《가족을 기쁘게 할 때》 그림책을 만들어 봅시다.

가족을 기쁘게 할 때

내 방은 내가

-------------------------.

-------------------------.

일찍 자고 일찍 일어난다.

밥을 먹고 식탁을

-------------------------.

- 가족을 기쁘게 하는 행동을 쓰세요.
- 그림을 그리세요.

-------------------------.

10 생각 넓히기

1. 한국의 가족 예절에 대해 이야기해 봅시다.

①
②
③
안녕히 주무셨어요.
할머니,
안녕히 주무세요.
④
⑤
잘 먹겠습니다.

1) 상황에 알맞게 번호를 쓰세요.

상황	번호
할아버지께서 진지를 잡수세요. 그다음에 내가 밥을 먹어요.	
할아버지께 두 손으로 물건을 드려요.	
밤에 할머니께 인사를 드려요.	
밥 먹을 때 감사 인사를 드려요.	
아침에 할머니께 인사를 드려요.	

2) 다음을 듣고 따라 하세요. 9

2. 알맞게 고쳐 써 봅시다.

①	동생이 밥을 먹고 있어요.	➡	할아버지께서 ________을/를 ________________.
②	나는 동생에게 선물을 주었어요.	➡	나는 할아버지________ 선물을 ____________.
③	아침에 동생에게 인사를 해요.	➡	아침에 할아버지________ 인사를 ____________.

3. 친구들과 '예절 놀이'를 해 봅시다. 부록

〈놀이 방법〉
① 상황을 뽑아요.
② 역할을 정해요.(할아버지/할머니, 아버지/어머니, 형/누나, 동생)
③ 역할에 맞게 행동과 말을 해요.

안녕히 주무셨어요?
응, 그래. 너도 잘 잤니?

필수

1 시간표
2 학교 준비물
3 과학 시간
4 수학 시간
5 학교 수업
6 학교 행사

선택

7 이야기 읽기
8 알림장과 달력 쓰기
9 안전한 생활
10 생각 넓히기

3 학교 수업

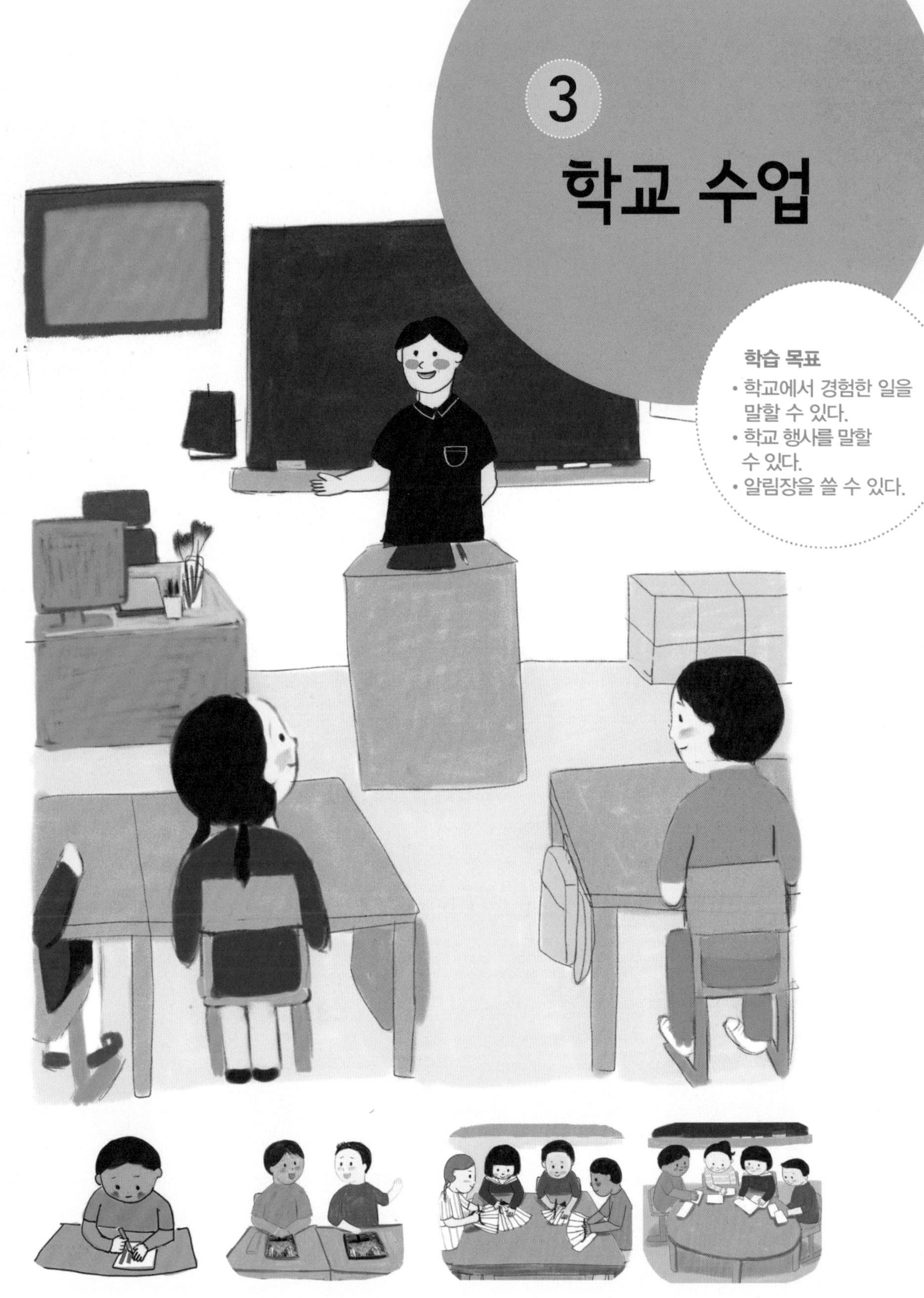

학습 목표
- 학교에서 경험한 일을 말할 수 있다.
- 학교 행사를 말할 수 있다.
- 알림장을 쓸 수 있다.

- 학교에서 무엇을 해요?
- 무슨 수업이 좋아요?

1 시간표

1. 대화를 들어 봅시다. 10

1) 다시 듣고 빈칸에 알맞은 낱말을 쓰세요.

2) 듣고 따라 하세요.

월요일에 국어를 배운 후에 무엇을 배워?

사회를 배워.

월요일에 수학을 하기 전에 무엇을 해?

영어를 해.

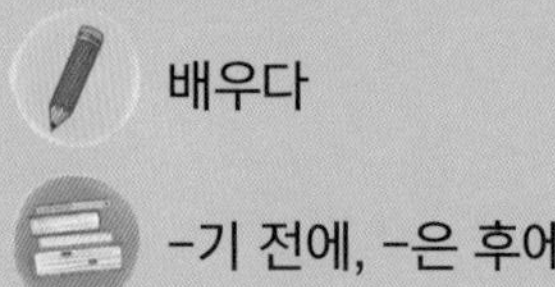

배우다

-기 전에, -은 후에

시간표

교시 \ 요일	월요일	화요일	수요일	목요일	금요일
1	국어	사회	수학	국어	국어
2	사회	수학		체육	수학
3	영어	국어	미술	영어	과학
4	수학		미술	도덕	음악
5	체육	음악	국어	창의	체육
6				창의	
7					

2. 다니엘의 시간표를 살펴봅시다.

1) 다니엘의 목요일 시간표를 보고 묻고 대답하세요.

국어를 한 후에 무엇을 해? ______________________________.

도덕을 배우기 전에 무엇을 배워? ______________________________.

2) 다니엘의 금요일 시간표를 보고 묻고 대답하세요.

3. 여러분의 학급 시간표를 보고 친구들과 이야기해 봅시다.

○○을/를 배운 후에 무엇을 배워?

○○을/를 배우기 전에 무엇을 배워?

2 학교 준비물

알림장

① 내일, 학교 사랑 그리기 대회를 합니다.
② 도화지는 학교에서 나누어 줍니다.
③ 준비물: 크레파스, 색연필, 사인펜 중에서 아무것이나 가져오기

1. 선생님을 따라 알림장을 읽어 봅시다.

1) 학교 사랑 그리기 대회는 언제 해요?

2) 내일 무엇을 준비해요? 도화지도 가져와요?

3) 크레파스, 색연필, 사인펜 모두 가져와요?

4) 여러분이 가져오고 싶은 것을 〈보기〉와 같이 알림장에 써 보세요.

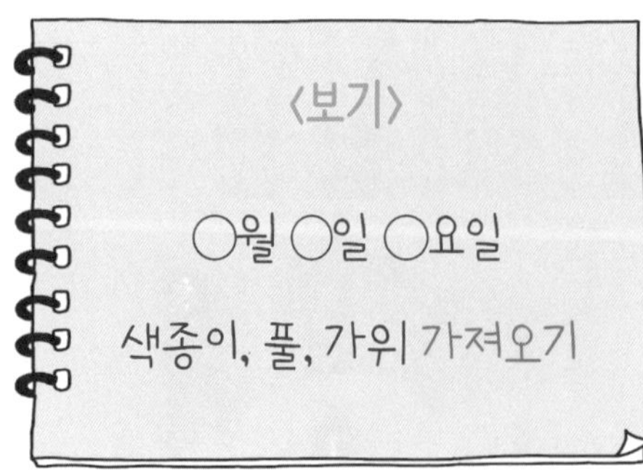

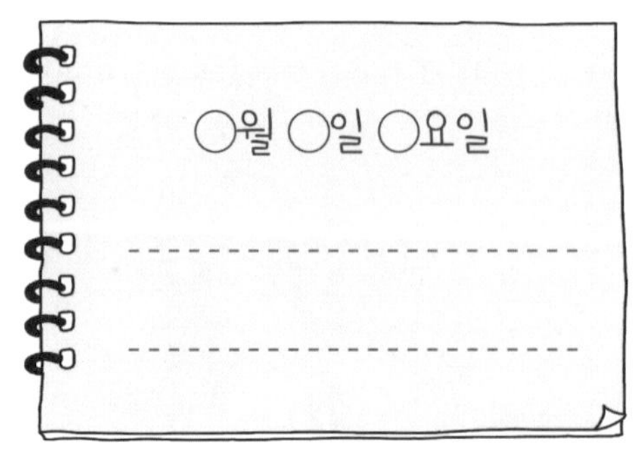

2. 유키가 쓴 알림장을 보고 맞는 것에 ○표 해 봅시다.

① 내일, 학교 사랑 그리기 대회 (　　　)
② 도화지 준비하기 (　　　)
③ 크레파스, 색연필 가져오기 (　　　)
④ 연필로 미리 그려 오기 (　　　)

3. 선생님의 말씀을 잘 듣고 알림장을 써 봅시다. 11

알림장

① 운동복 __________.
② 줄넘기 줄 __________.
③ 수학 곱셈과 나눗셈 __________.

내일 운동장에서 체육을 할 거예요. 운동복을 입고 오세요. 그리고 줄넘기 줄도 가져오세요. 수학 곱셈과 나눗셈 문제를 풀어 오세요.

3 과학 시간

1. 과학 시간의 대화를 들어 봅시다. 12

1) 친구들이 물에 섞은 것이 뭐예요? 대화를 다시 듣고 말해 보세요.

오딜이 섞은 것은 밀가루예요.
엠마가 ______________ 것은 설탕이에요.
다니엘이 ______________ 것은 __________________________.

2) 빈칸에 알맞은 말을 쓰고, 읽어 보세요.

밀가루는 물에 녹지 않아요. 물에 녹지 ____________은 밀가루예요.

설탕은 맛이 달아요. 맛이 단 것은 설탕이에요.

소금은 맛이 짜요. 맛이 ______ 것은 소금이에요.

녹다, 섞다, 달다, 짜다, 설탕, 소금, 밀가루

-은 것

2. 친구들이 경험한 것을 연결하고 말해 봅시다.

①
②
③
④
⑤
세배하다
수영하다
요리하다
먹다
읽다
아빠와 요리한 것이 기억나요.
친척들과 맛있게 음식을 먹은 것이 생각나요.
엄마와 책을 읽은 것이 기억나요.
가족과 수영한 것을 잊을 수가 없어요.
할아버지께 세배한 것이 기억나요.

3. 친구들과 '빨리 대답하기' 놀이를 해 봅시다.

〈놀이 방법〉

① 3~5명이 같이 해요.
② 1명이 문제를 내요.
③ 대답을 가장 빨리 한 친구가 다음 문제를 내요.

어제 먹은 것은?

밥!

과자!

빵!

4 수학 시간

1. 수학 시간의 대화를 들어 봅시다. 13

시간 \ 요일		월요일
1교시	09:10 ~ 09:50	국어
2교시	10:00 ~ 10:40	사회
3교시	10:50 ~ 11:30	영어
4교시	11:40 ~ 12:20	수학
점심시간	12:20 ~ 13:10	
5교시	13:10 ~ 13:50	체육

1) 타이선은 저녁 7시 30분에 무엇을 해요?

2) 2교시는 무슨 시간이에요? 그리고 몇 시부터 몇 시까지예요?
〈보기〉와 같이 말해 보세요.

〈보기〉
1교시는 국어 시간입니다.
1교시는 9시 10분부터
9시 50분까지입니다.

3) 수학은 몇 시부터 몇 시까지 해요?

4) 여러분은 오늘 저녁 7시 30분에 무엇을 할 거예요?

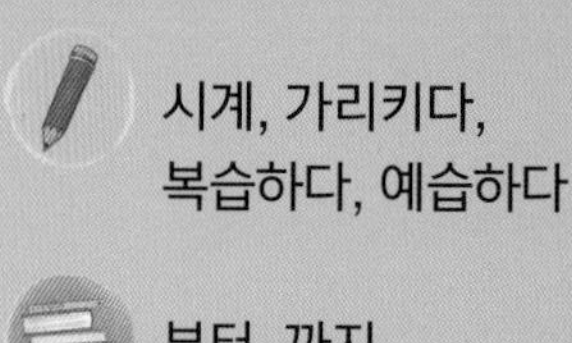

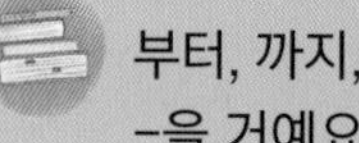

부터, 까지,
-을 거예요

2. 타이선의 계획을 보고 대답해 봅시다.

1) 타이선은 한국어를 몇 시부터 몇 시까지 배워요?

2) 타이선은 오후 6시 30분부터 무엇을 해요?

타이선은 오후 2시 50분부터 축구를 배울 거예요.

타이선은 오후 6시 30분부터 ----------------------.

3. 오늘 계획을 친구들과 이야기해 봅시다.

1) 시각을 쓰고 〈보기〉처럼 계획을 말해 보세요.

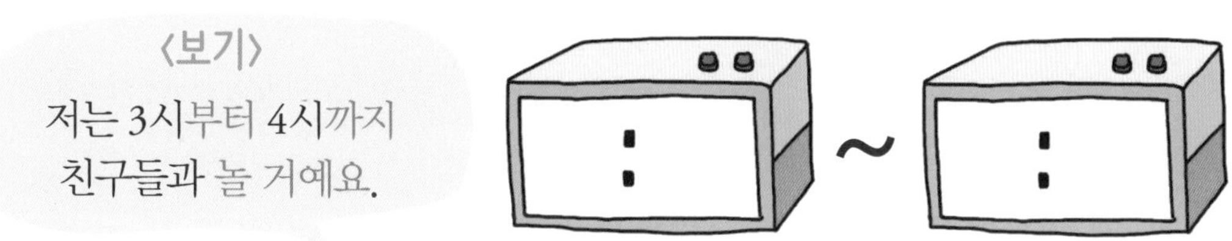

〈보기〉
저는 3시부터 4시까지
친구들과 놀 거예요.
:
~
:

2) 친구들의 계획을 말해 보세요.

5 학교 수업

1. 다니엘의 일기를 읽고 이야기해 봅시다.

1) 선생님을 따라 일기를 읽으세요.

> ○월 ○일 화요일
>
> 오늘은 화요일입니다. 화요일에는 사회, 수학, 국어, 과학, 음악 수업이 있습니다. 나는 국어 시간이 힘들었습니다. 국어사전에서 낱말 찾는 것을 배웠습니다. 나는 모르는 것이 많았습니다. 한국어 낱말을 더 열심히 공부할 것입니다. 음악 시간에는 리코더를 불었습니다. 음악 숙제는 리코더 연습하기입니다.

2) 화요일에 어떤 수업을 해요? 그리고 오늘 숙제가 뭐예요?

3) 여러분은 국어 시간, 음악 시간에 무엇을 배웠어요?

2. 낱말과 어울리는 문장을 연결하고 써 봅시다.

수업, 시간, 숙제, 국어사전, 리코더, 막대그래프

3. 다니엘의 수요일 수업을 살펴봅시다.

1) 다니엘의 수요일 하루를 보세요.

2) 다니엘의 일기를 완성하세요.

오늘은 수요일입니다. 수요일은 ____________, ____________, 미술, 국어 __________이/가 있습니다. 수학 시간에 막대그래프를 배웠습니다. 수학 ____________ 은/는 수학 익힘책 풀기입니다. ____________ 시간에 옛날의 생활 모습을 배웠습니다. ____________ 시간에 부채를 만들었습니다. 나는 한글로 부채를 꾸몄습니다. ____________ 시간에는 낱말 사전을 만들었습니다. 나는 모르는 낱말이 많습니다. 그래서 낱말 사전을 집에서 하나 더 ____.

6 학교 행사

1. 장위의 학교 행사를 보고 이야기해 봅시다.

수영을 나흘 동안 배워요.

매주 금요일에 영어 교실을 해요.

알뜰 시장에서 나에게 필요 없는 것을 팔거나 갖고 싶은 것을 살 수 있어요.

1) 묻고 대답하세요.

① 영어 교실은 언제 해요?
② 수영 교육은 며칠 동안 해요?
③ 알뜰 시장에서 뭐 해요?

2) 듣고 대답하세요. 14, 15

- 도서관 행사에서 뭐 해요? 그리고 영어 교실에서 뭐 해요?

동화 작가 만나기	독서 신문 만들기	영어 책 읽기	원어민 선생님과 대화하기

매주, 하루, 이틀, 사흘, 나흘

-거나

20○○년 6월 학교 행사 계획

일	월	화	수	목	금	토
					1 영어 교실	2
3	4 도서관 행사	5	6	7	8 영어 교실	9
10	11	12 스케이트 교육	13	14 스케이트 교육	15 영어 교실	16
17	18 알뜰 시장	19 알뜰 시장	20 알뜰 시장	21	22 영어 교실	23
24	25 수영 교육	26 수영 교육	27 수영 교육	28 수영 교육	29 영어 교실	30

2. 학교 행사 계획을 보고 연결해 봅시다.

도서관 행사	수영 교육	스케이트 교육	알뜰 시장
하루 (1일)	이틀 (2일)	사흘 (3일)	나흘 (4일)

3. 우리 학교의 6월 행사 계획을 말해 봅시다.

7 이야기 읽기

1. 이야기를 읽어 봅시다.

미래 학교 학생들

3020년, 미래의 초등학교엔 선생님이 안 계신다. 수업은 컴퓨터가 한다. 매주 시험도 본다. 그런데 하늘에서 초록 햇빛이 내려온 후에 컴퓨터가 변했다. 이유 없이 혼내거나 답을 틀리게 알려 주었다.

어느 날 컴퓨터가 시간을 과거로 돌렸다. 시간은 우리를 과거로 보냈다. 우리 앞에 선생님이 계셨다.
"여러분, 안녕. 오늘 재미있게 놀아요."

다음 이야기를 만들어 보세요.

1) 초록 햇빛이 내려온 후에 컴퓨터가 어떻게 변했어요?

2) 컴퓨터가 변한 후에 시간이 학생들을 어디로 보냈어요?

3) 다음 이야기를 만들어 보세요.

2. 선생님의 말씀을 읽고 알림장을 써 봅시다.

내일 1교시부터 3교시까지 수영을 배워요.
수영복, 수영모, 물안경을 준비하세요.
버스를 타고 가요. 버스는 9시에 학교에서 출발해요.
8시 40분까지 등교하세요.
4교시는 학교에서 종이접기를 해요.
색종이, 가위, 풀을 준비하세요.

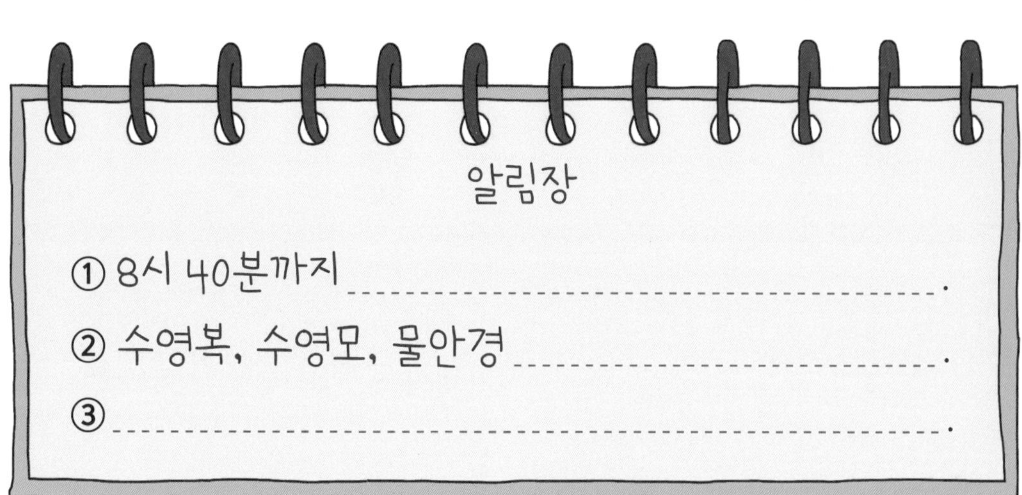
알림장
① 8시 40분까지 ________________.
② 수영복, 수영모, 물안경 ________________.
③ ________________.

8 알림장과 달력 쓰기

1. 대화를 듣고 질문에 답해 봅시다. 16

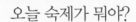

오늘 숙제가 뭐야?

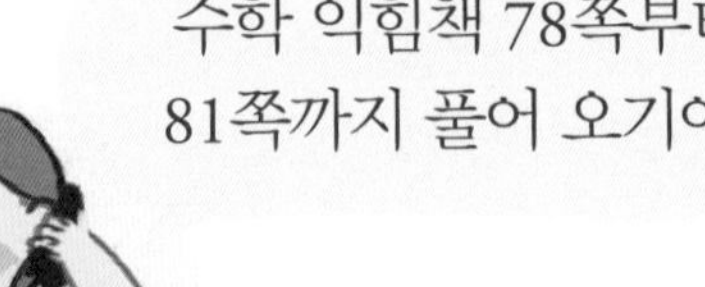

수학 익힘책 78쪽부터
81쪽까지 풀어 오기야.

1) 오늘 숙제가 뭐예요?

2) 내일 준비물이 뭐예요?

3) 엠마는 알림장에 무엇을 썼을까요? 엠마의 알림장에 쓰세요.

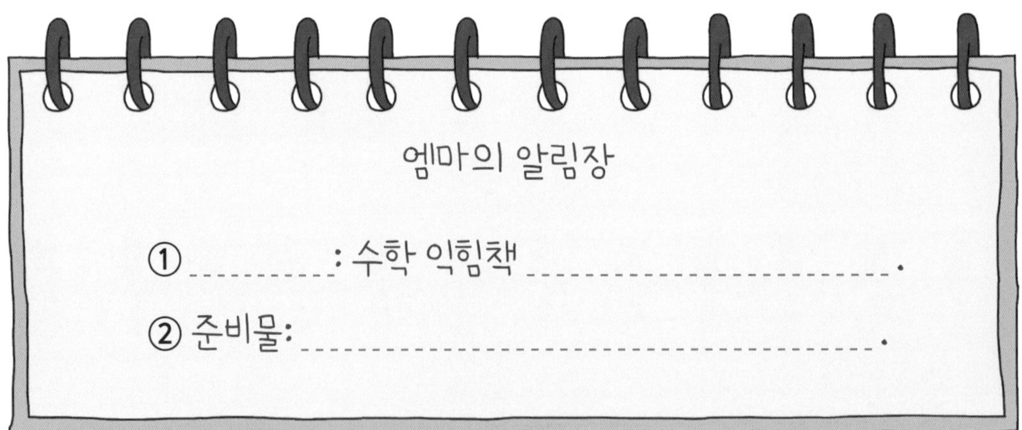

엠마의 알림장
① ________ : 수학 익힘책 ____________________.
② 준비물: ____________________________.

4) 엠마의 알림장을 보고 타이선에게 숙제와 준비물을 알려 주세요.

2. 잘 듣고 7월 학교 행사 계획을 만들어 봅시다. 17

1) 도서관 행사, 노래 부르기 대회, 수학 교실, 여름 방학식을 언제 해요?

2) 학교 행사 계획을 써 보세요.

도서관 행사	노래 부르기 대회	수학 교실	여름 방학식

20○○년 7월 학교 행사 계획

일	월	화	수	목	금	토
1	2	3	4	5	6	7
8	9	10	11	12	13	14
15	16	17	18	19	20	21
22	23	24	25	26	27	28
29	30	31				

3) 우리 학교의 행사 계획을 소개하세요.

9 안전한 생활

1. 손 씻기 방법을 알아봅시다.

1) 읽으세요.

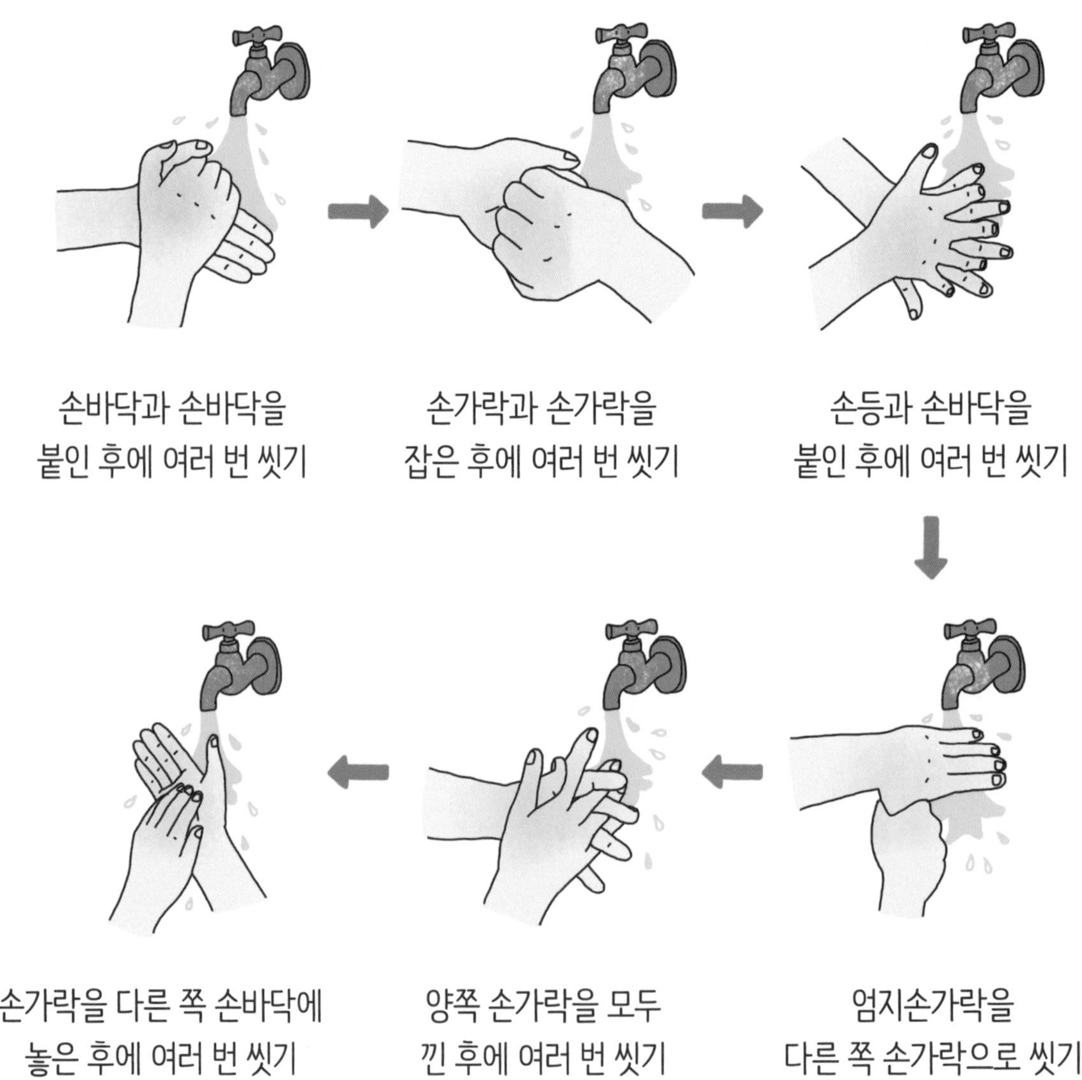

손바닥과 손바닥을
붙인 후에 여러 번 씻기
손가락과 손가락을
잡은 후에 여러 번 씻기
손등과 손바닥을
붙인 후에 여러 번 씻기
엄지손가락을
다른 쪽 손가락으로 씻기
양쪽 손가락을 모두
낀 후에 여러 번 씻기
손가락을 다른 쪽 손바닥에
놓은 후에 여러 번 씻기

2) 손 씻기 방법을 말하고 손으로 따라 하세요.

2. 횡단보도를 안전하게 건너는 방법을 알아봅시다.

1) 읽으세요.

①	멈춘다	횡단보도에서 멈춘 후에 오른쪽에 서요.
②	좌우를 본다	차가 멈추었어요? 도로 왼쪽과 오른쪽을 봐요.
③	손을 든다	손을 높이 들어요. 운전사가 나를 볼 수 있어요.
④	운전사를 본다	횡단보도를 건너기 전에 운전사를 봐요.
⑤	건넌다	손을 들고 안전하게 건너요.

2) 그림에 어울리는 낱말을 연결하세요.

3) 횡단보도 건너는 방법을 연습해 보세요.

10 생각 넓히기

1. 한국 악기를 배워 봅시다.

1) 글을 따라 읽어요.

쨍쨍 꽹과리를 쳐요.
둥둥 북을 쳐요.
댕댕 징을 쳐요.
덩덩 딱딱 소고를 쳐요.
덩덩 다다닥 장구를 쳐요.

2) 그림에 어울리는 낱말을 연결하세요.

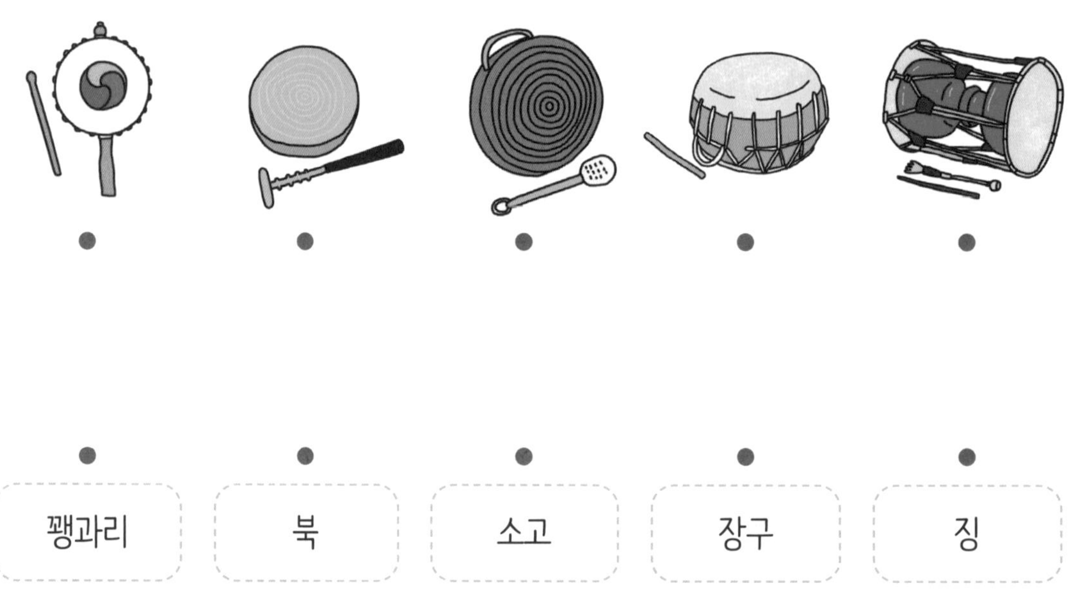

꽹과리	북	소고	장구	징

3) 한국의 전통 악기를 쳐 보세요.

2. 마라카스를 만들어 봅시다.

1) 마라카스를 만들고 흔들어 보세요.

① 플라스틱 병, 밀가루, 쌀, 콩 준비하기

② 플라스틱 병에 밀가루, 쌀, 콩 넣기

③ 뚜껑을 닫고 플라스틱 병 꾸미기

④ 밀가루 마라카스, 쌀 마라카스, 콩 마라카스 흔들기

⑤ 마라카스 소리 듣기

2) 소리가 제일 큰 것부터 차례로 쓰고 말해 보세요.

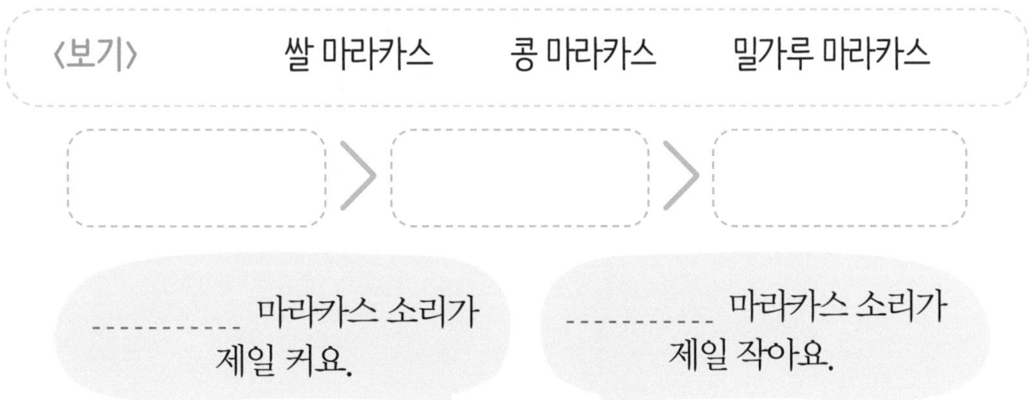

〈보기〉 쌀 마라카스 콩 마라카스 밀가루 마라카스
＞
＞
__________ 마라카스 소리가 제일 커요.
__________ 마라카스 소리가 제일 작아요.

필수

1 오늘의 날씨
2 날씨와 옷차림
3 여름 놀이
4 겨울 놀이
5 좋아하는 계절
6 날씨에 따라 주의할 점

선택

7 그림일기 읽기
8 일기 예보 말하기
9 이야기 읽기
10 생각 넓히기

4
날씨와 계절

학습 목표
- 날씨를 말할 수 있다.
- 계절의 날씨와 그 계절에 하는 놀이를 말할 수 있다.
- 좋아하는 계절과 그 이유를 말할 수 있다.

- 지금은 무슨 계절이에요? 오늘 날씨는 어때요?
- 봄, 여름, 가을, 겨울에는 무엇을 해요?

1 오늘의 날씨

1. 날씨가 어때요? 그림을 보고 이야기해 봅시다.

1) 그림을 보고 가리켜 보세요.

2) 듣고 따라 하세요. 18

맑다, 흐리다,
바람이 불다,
비가 오다,
천둥 번개가 치다,
눈이 오다, 영하, 도, 영상

2. 그림을 보고 알맞은 문장을 연결해 봅시다.

3. 휴대 전화 날씨 앱을 보고 날씨와 기온을 이야기해 봅시다.

2 날씨와 옷차림

1. 이런 날씨에 무엇을 입어요? 그림을 보고 이야기해 봅시다.

1) 그림을 보고 가리켜 보세요.

2) 옷장 안에 무엇이 있어요? 알맞은 말을 써 보세요.

〈보기〉 얇은 짧은 노란 두꺼운 따뜻한 긴

반바지

점퍼

외투

비옷

장갑

장화

춥다, 따뜻하다, 덥다, 시원하다, 쌀쌀하다

-은[1]

2. 날씨에 맞는 옷차림을 연결하고 써 봅시다.

날씨가 추워요.	비가 와요.	날씨가 더워요.
-------- 외투를 입어요.	-------- 비옷을 입어요.	-------- 반바지를 입어요.
-------- 장갑도 껴요.	-------- 장화도 신어요.	-------- 티셔츠도 입어요.

3. 다음과 같은 날씨에 학교에 갈 때 어떤 옷을 입으면 좋을까요? 이야기해 봅시다.

더운 날에는 시원한 옷을 입어요.
짧은 반바지와 티셔츠가 좋아요.

① 

② 

③ 

3 여름 놀이

계곡

바다

1. 여름에 무엇을 할 수 있어요? 그림을 보고 이야기해 봅시다.

1) 그림을 보고 가리켜 보세요.

물총 놀이를 하다

물놀이를 하다

참외, 수박, 복숭아를 먹다

모래성을 쌓다

2) 듣고 따라 하세요. 19

여름에 무엇을 할 수 있어요?

물놀이를 할 수 있어요.

맛있는 수박도 먹을 수 있어요.

물놀이를 하다, 모래성을 쌓다, 계곡, 물총 놀이를 하다, 참외, 수박, 복숭아, 물 미끄럼틀을 타다, 튜브를 타다

 -을 수 있다

2. 다음 그림에서 여름에 할 수 있는 것은 무엇입니까? 모두 찾아봅시다.

① 

② 

③ 

④ 

3. 여름에 가족과 여행을 가서 할 수 있는 일이 무엇입니까? 써 봅시다.

가고 싶은 곳: ________________

할 수 있는 일: ________________

① ________________

② ________________

③ ________________

4 겨울 놀이

1. 겨울에 무엇을 할 수 있어요? 그림을 보고 이야기해 봅시다.

1) 듣고 따라 하세요. 20

눈이 오니까 좋아.

맞아. 눈이 오면 눈사람을 만들 수 있어. 눈이 더 쌓이면 눈썰매를 타러 가자!

2) 그림을 보고 가리켜 보세요.

눈사람을 만들다

눈싸움을 하다

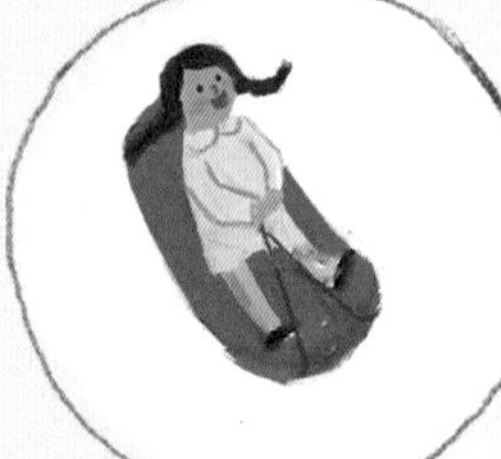
눈썰매를 타다

얼음낚시를 하다

스케이트를 타다

스키를 타다

눈싸움을 하다, 눈사람을 만들다, 눈썰매를 타다, 얼음낚시를 하다, 스케이트를 타다, 스키를 타다

-으면

2. 그림을 보고 문장을 연결해서 써 봅시다.

① 겨울 방학이 되면

〈보기〉

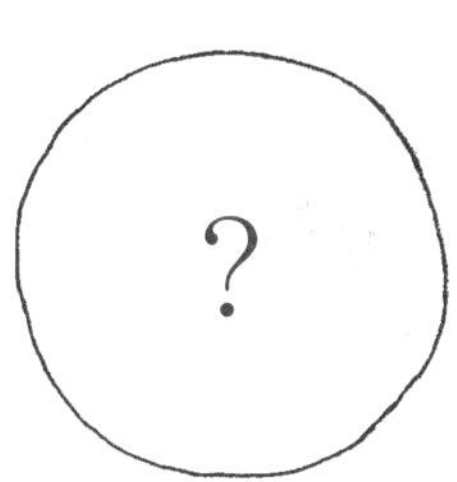

겨울 방학이 되면

〈보기〉 할머니 댁에 갈 거예요.

② 눈이 오면

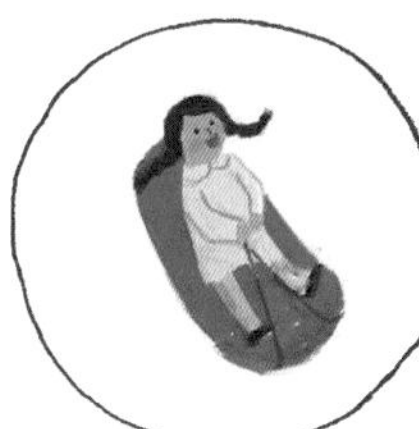

눈이 오면

3. 메시지를 읽어 봅시다.

1) 오딜은 언제 할아버지 집에 갈까요?

2) 오딜은 할아버지 집에 가면 무엇을 할까요?

08:30 PM
할아버지
다음 주가 겨울 방학이에요. 방학이 되면 할아버지 집에 가고 싶어요.
그래, 방학이 되면 할아버지 집에 와.
아빠랑 같이 얼음낚시를 하러 가요. 고기를 많이 잡으면 할머니도 좋아하실 거예요.
그래, 방학 때 보자.

5 좋아하는 계절

1. 어느 계절을 좋아해요? 그림을 보고 이야기해 봅시다.

1) 그림을 보고 가리켜 보세요.

꽃이 활짝 피다

땀이 줄줄 흐르다

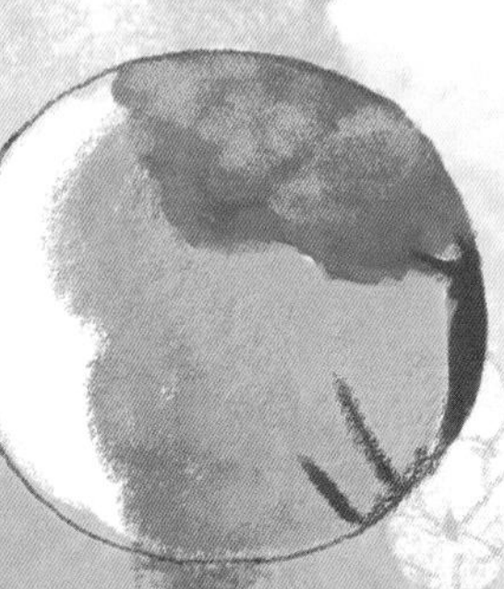

단풍이 들다

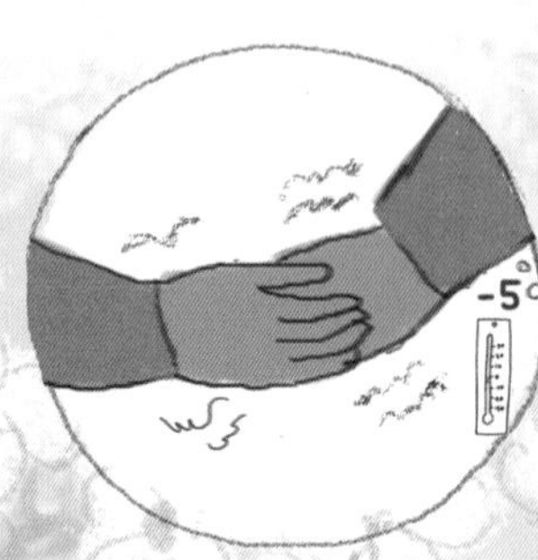
-5℃

손이 꽁꽁 얼다

2) 듣고 따라 하세요. 21

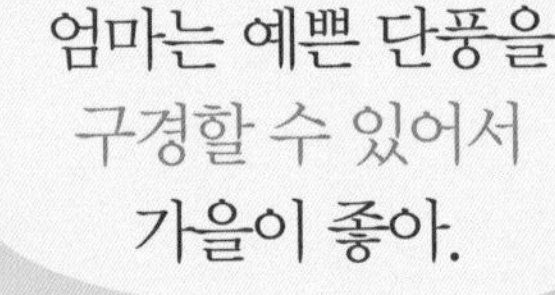
엄마는 예쁜 단풍을
구경할 수 있어서
가을이 좋아.

엄마, 꽃이 활짝 피었어요.
저는 예쁜 꽃을 볼 수 있어서
봄이 좋아요.

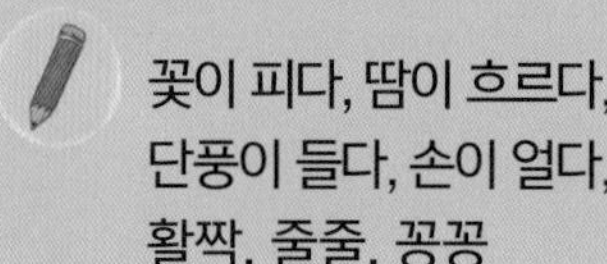

꽃이 피다, 땀이 흐르다,
단풍이 들다, 손이 얼다,
활짝, 줄줄, 꽁꽁

-어서

2. 그림을 보고 문장을 연결해 써 봅시다.

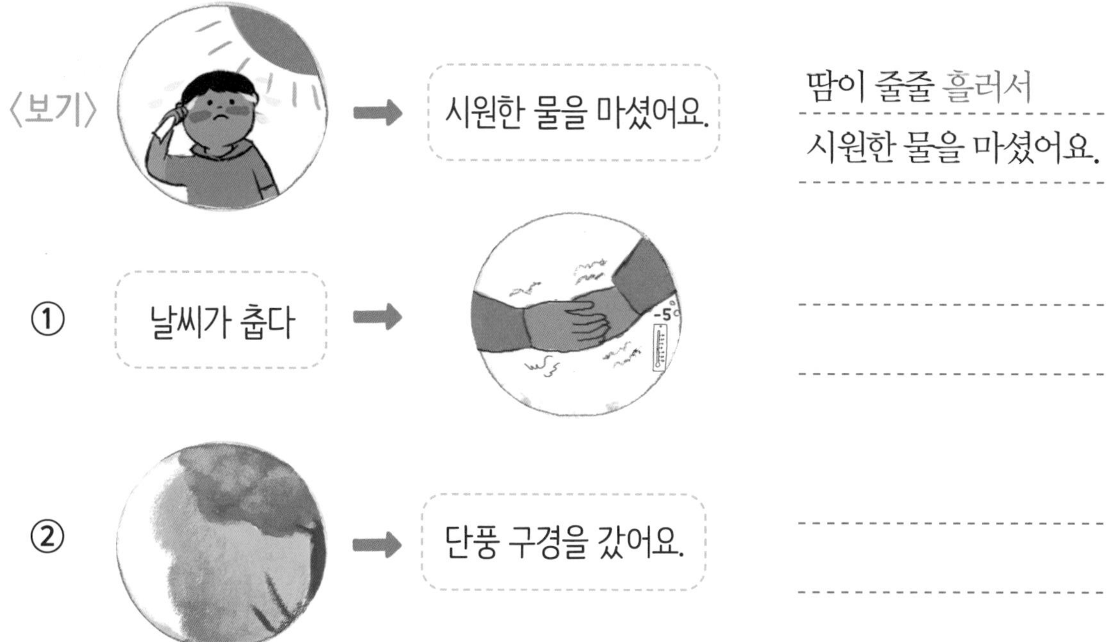

〈보기〉
시원한 물을 마셨어요.
땀이 줄줄 흘러서
시원한 물을 마셨어요.
①
날씨가 춥다
-5
②
단풍 구경을 갔어요.

3. 듣고 질문에 대답해 봅시다. 22

1) 서영이는 무슨 계절을 좋아해요?

① 봄　② 여름　③ 가을　④ 겨울

2) 유키는 왜 가을을 좋아해요?

4. 좋아하는 계절과 이유를 친구들 앞에서 이야기해 봅시다.

6 날씨에 따라 주의할 점

1. 날씨에 따라 주의해야 할 점이 있어요. 그림을 보고 이야기해 봅시다.

1) 그림을 보고 가리켜 보세요.

우산을 쓰다

앞이 잘 안 보이다

길이 얼다

미끄러지다

미세 먼지가 심하다

마스크를 쓰다

얇은 옷을 입다

감기에 걸리다

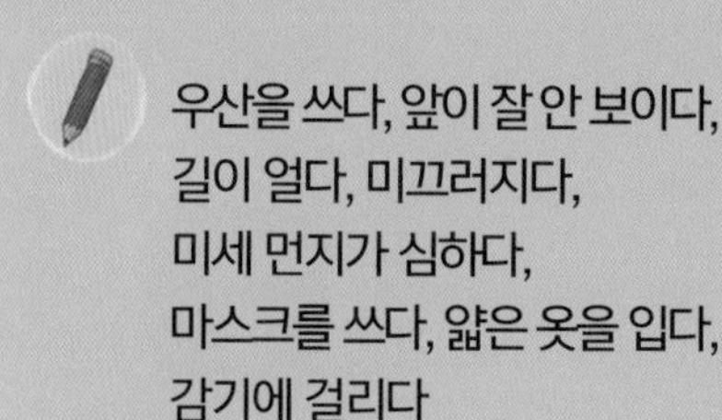

2. 어울리는 말을 찾아 친구와 이야기해 봅시다. 부록

1) 한 친구는 〈날씨 카드〉를, 다른 친구는 〈조심 카드〉를 가지세요.

2) 친구와 카드를 맞춰 보세요.

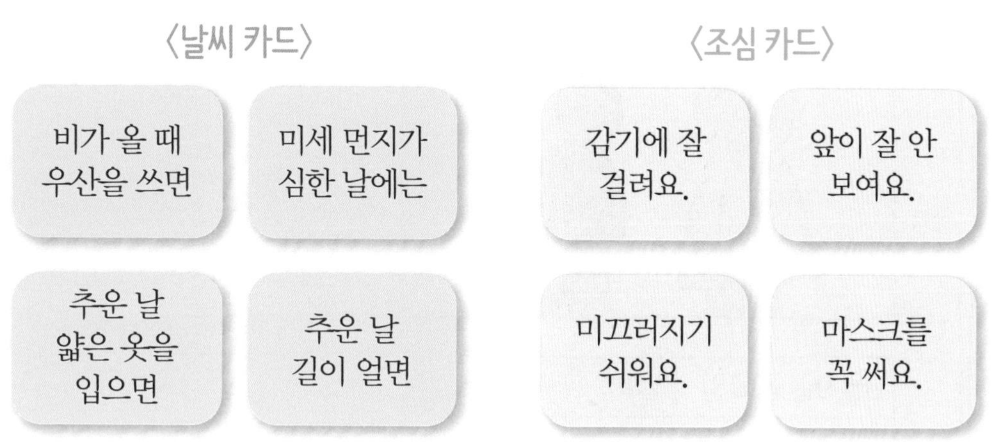

〈날씨 카드〉
비가 올 때 우산을 쓰면
미세 먼지가 심한 날에는
추운 날 얇은 옷을 입으면
추운 날 길이 얼면
〈조심 카드〉
감기에 잘 걸려요.
앞이 잘 안 보여요.
미끄러지기 쉬워요.
마스크를 꼭 써요.

3. 듣고 〈보기〉에서 맞는 문장을 찾아 써 봅시다. 23

〈보기〉 시원한 물을 자주 마셔요. 겉옷을 입고 오세요. 손을 깨끗하게 씻어요.

아침에 학교에 올 때

① ______________________

____

더울 때

② ______________________

____

집에 돌아가면

③ ______________________

____

7 그림일기 읽기

1. 그림일기를 읽고 날씨를 써 봅시다.

4월 13일 월요일
날씨:
학교에 갈 때 비가 와서 노란 비옷을 입고 갔다. 오후에도 비가 와서 밖에서 놀지 않고 집에 있었다.
8월 9일 목요일
날씨:
날씨가 너무 더워서 짧은 반바지를 입었다. 그래도 조금만 움직이면 땀이 줄줄 흘렀다.
10월 8일 금요일
날씨:
바람이 쌩쌩 불어서 내 예쁜 모자가 날아갔다. 너무 빨리 날아가서 잡을 수 없었다.

2. 그림일기를 써 봅시다.

12월 21일 목요일	날씨: 눈이 옴.

오늘은 눈이 많이 내렸다.

8 일기 예보 말하기

1. 대화를 듣고 질문에 대답해 봅시다. 24

1) 오늘 날씨가 어때요?

① 

② 

③ 

④ 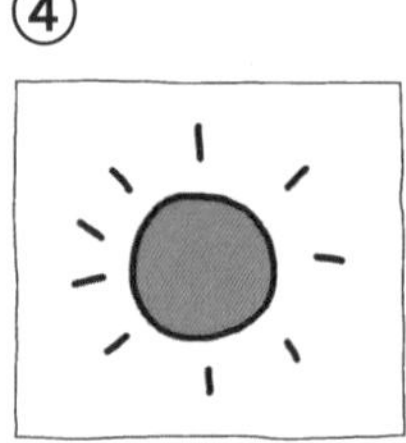

2) 지금 기온이 몇 도예요?
그림에 표시해 보세요.

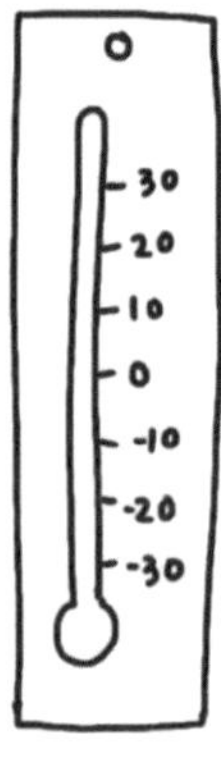

3) 내일 날씨를 알고 싶으면 무엇을 봐요?

2. 친구들과 일기 예보를 해 봅시다.

1) 날씨 그림판을 그려 보세요.

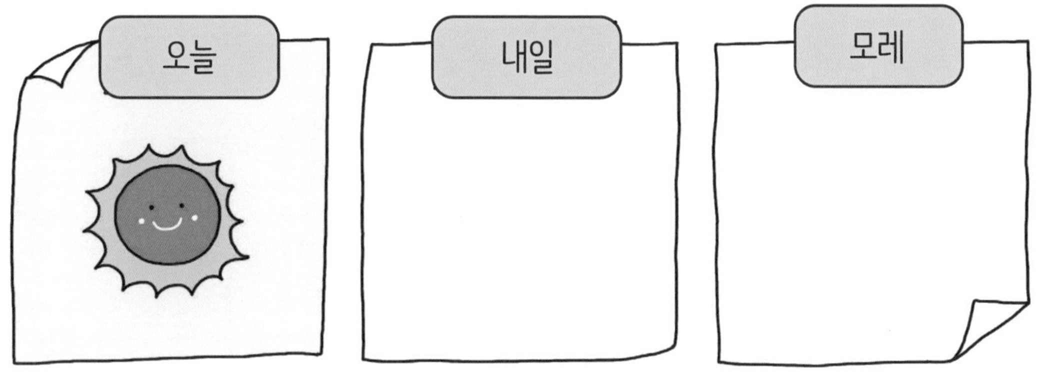

2) 일기 예보를 써 보세요.

날씨를 말씀드리겠습니다.

오늘은 구름이 없고 날씨가 맑겠습니다.

내일 날씨는 --

모레는 --

----

3) 친구들 앞에서 일기 예보를 발표해 보세요.

9 이야기 읽기

1. 이야기를 들어 봅시다. 25

바람이 후 하고 세게 불었어요.

남자는 외투를 더 꽉 잡았어요.
바람이 더 세게 불었어요.
하지만 남자는 옷을 벗지 않았어요.

이번에는 해님 차례였어요.
해님은 더 쨍쨍 햇볕을 내리쬈어요.

남자는 땀을 줄줄 흘렸어요.
그리고 마침내 외투를 벗었어요.

바람이 이 시합에서 졌어요.
그 후로 바람은 다시는 힘자랑을 하지 않았어요.

2. 소리나 모양을 흉내 내는 말을 찾아 ○표 해 봅시다.

3. 바람, 해님, 남자 그리고 해설자가 되어 읽어 봅시다.

10 생각 넓히기

1. 물놀이를 할 때 조심해야 할 점입니다. 맞는 그림을 찾아 연결해 봅시다.

1)		•	• 깊은 곳에 들어가지 않아요.
2)		•	• 어른들이 볼 수 있는 곳에서 놀아요.
3)		•	• 준비 운동을 해요.
4)		•	• 물놀이 신발을 신어요.
5)		•	• 몸이 추워지면 빨리 물에서 나와요.
6)		•	• 바위나 돌을 조심해요.

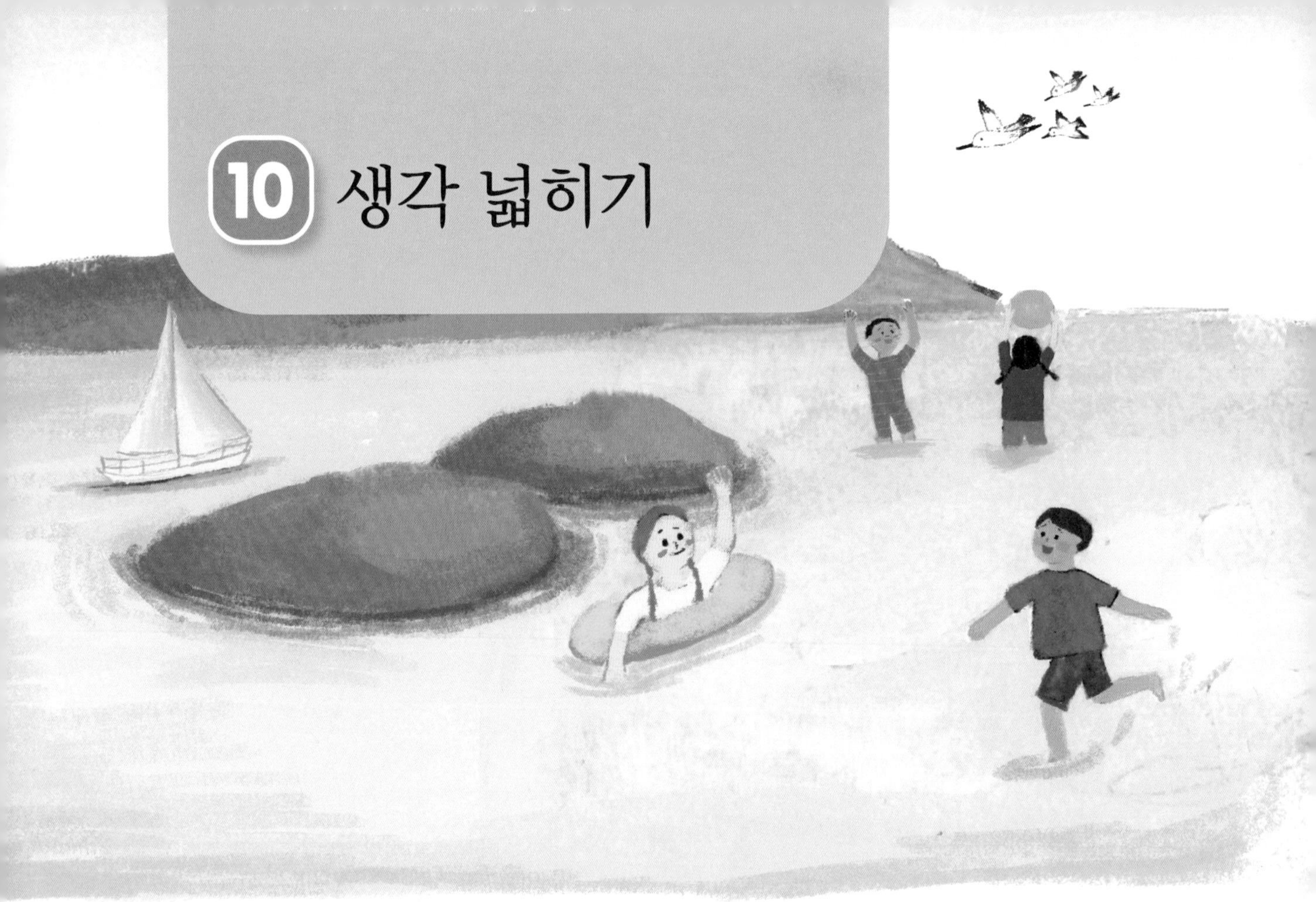

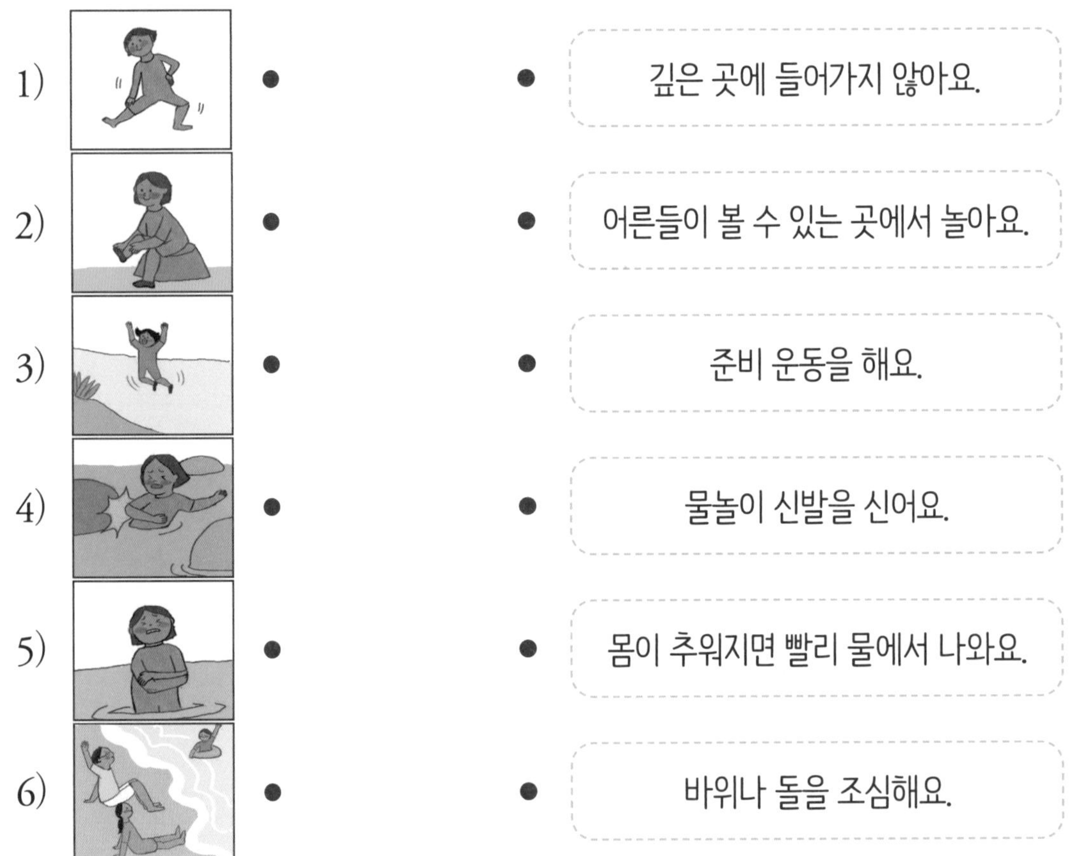

2. '나의 약속'을 써 봅시다.

약속합니다.

이름: ____________________

저 (   )은/는 물놀이를 할 때

① ______________________________________겠습니다.

② ______________________________________겠습니다.

③ ______________________________________겠습니다.

20   년   월   일

3. 친구들 앞에서 '나의 약속'을 발표해 봅시다.

선택
7 방학 일기
8 보고서 읽기
9 방학 이야기
10 생각 넓히기
필수
1 방학하는 날
2 여름 방학
3 방학 숙제
4 방학 규칙
5 방학 여행
6 겨울 방학에 한 일

5

방학

학습 목표

- 방학 경험을 말할 수 있다.
- 방학 규칙을 계획하고 읽을 수 있다.
- 방학 여행에 필요한 것을 말할 수 있다.

- 친구들이 방학에 뭐 해요?
- 여러분은 방학에 뭐 했어요?

1 방학하는 날

1. 선생님과 장위의 대화를 들어 봅시다. 26

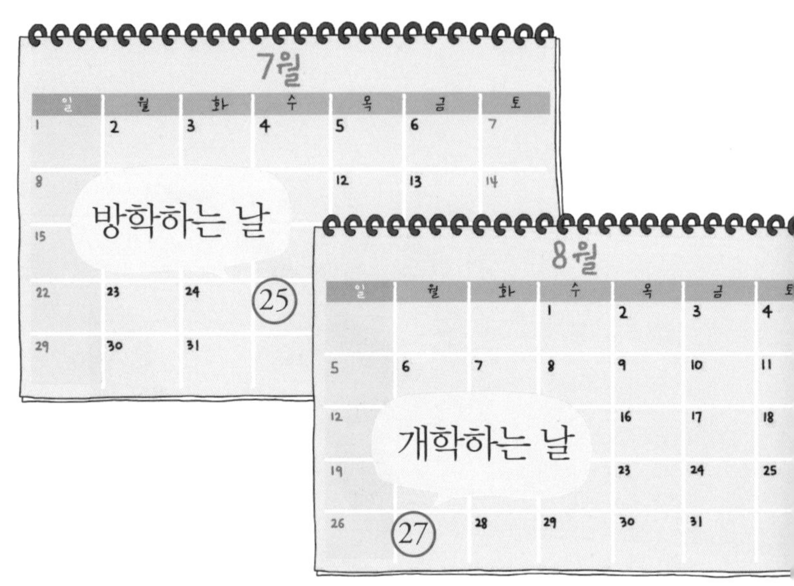

1) 다시 듣고 빈칸에 알맞은 낱말을 쓰세요.

〈보기〉 여름 방학 겨울 방학 개학

- ____________은 7월 26일부터 8월 26일까지입니다.
- 8월 27일에 ____________합니다.
- ____________은 12월 24일부터 1월 28일까지입니다.

2) 장위는 여름 방학이 끝나고 언제 학교에 와요? 그리고 왜 그날 학교에 와요?

- ____________에 개학____________ 그날 학교에 와요.

방학, 방학하다, 개학, 개학하다, 여름 방학, 겨울 방학

-으니까

2. 〈보기〉와 같이 말해 봅시다.

〈보기〉 8월 27일에 개학해요. 그러니까 그날 학교에 오세요.
➡ 8월 27일에 개학하니까 그날 학교에 오세요.

① 여기는 도서실이에요. 그러니까 조용히 해요.
➡ 여기는 도서실 ______________ 조용히 해요.

② 이 책은 재미있어요. 그러니까 꼭 읽으세요.
➡ 이 책은 ______________ 꼭 읽으세요.

③ 7월과 8월이 너무 더워요. 그러니까 여름 방학을 해요.
➡ 7월과 8월이 너무 ______________ 여름 방학을 해요.

④ 12월과 1월이 너무 추워요. 그러니까 겨울 방학을 해요.
➡ 12월과 1월이 너무 ______________________________.

3. 다른 나라의 방학 기간을 말해 봅시다.

1) 〈보기〉를 보고 각 나라의 방학 기간을 말해 보세요.

〈보기〉
필리핀의 여름 방학은 4월부터 5월까지입니다.

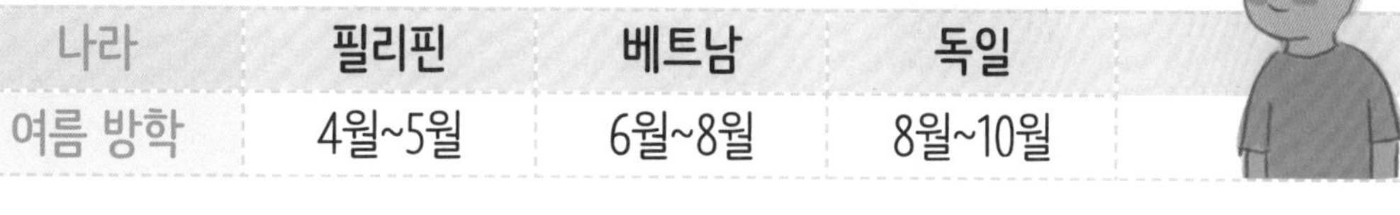

나라	필리핀	베트남	독일	
여름 방학	4월~5월	6월~8월	8월~10월	

2) 여러분 고향의 방학 기간을 말해 보세요.

2 여름 방학

1. 문자 대화를 읽어 봅시다.

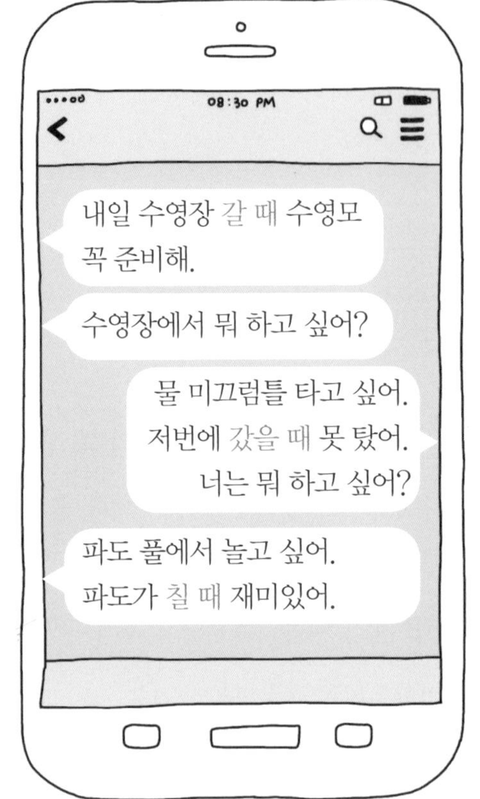

08:30 PM
내일 수영장 갈 때 수영모 꼭 준비해.
수영장에서 뭐 하고 싶어?
물 미끄럼틀 타고 싶어. 저번에 갔을 때 못 탔어. 너는 뭐 하고 싶어?
파도 풀에서 놀고 싶어. 파도가 칠 때 재미있어.

1) 내일 어디 가요?

2) 오딜과 타이선은 무엇을 하고 싶다고 했어요?

3) 수영장 갈 때 무엇을 준비해요? 〈보기〉와 같이 말해 보세요.

〈보기〉 수영장 갈 때 수건을 준비해.

수영복 | 수영모 | 물안경 | 튜브 | ?

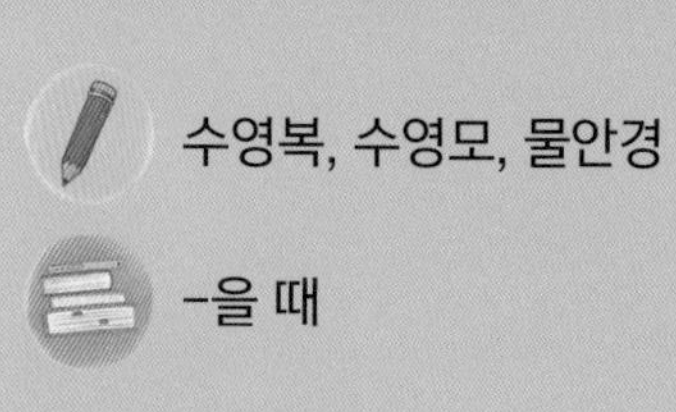

2. 연결해 봅시다.

3. 수영장 이용 규칙을 읽고 말해 봅시다.

1) 지워진 글씨를 쓰고 수영장 이용 규칙을 읽어 보세요.

수영장 이용 규칙
물에 들어갈 때 수영모를 꼭 쓰세요.
걸어 다닐 때 미끄러지지 않게 조심하세요.
안내 방송이 나올 때 잘 들어주세요.
튜브를 탈 때 손잡이를 꼭 잡아 주세요.

2) 수영장에서 뭘 조심해요? 친구들과 말해 보세요.

3 방학 숙제

1. 유키의 방학 숙제입니다. 방학 숙제 안내를 읽어 봅시다.

방학 숙제 안내

〈꼭 해요!〉	나의 방학 숙제
① 일기 쓰기	V
② 날마다 운동하기	V
③ 일주일에 책 1권 읽기	V
〈선택 숙제〉(2가지 선택하기)	
① 가족과 여행하기	
② 영화나 연극 보기	V
③ 박물관이나 미술관 다녀오기	V
④ 그림 그리기나 만들기	
⑤ 내가 정하기 ( )	

1) 유키의 방학 숙제가 뭐예요?

2) 유키가 선택한 숙제가 뭐예요?

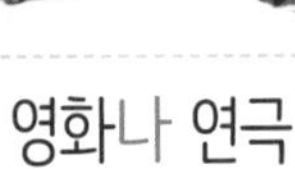

영화나 연극

박물관이나 미술관

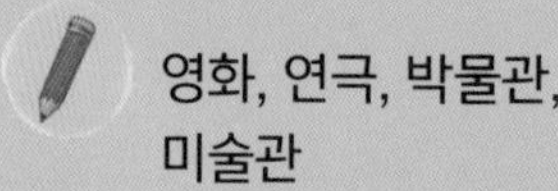

영화, 연극, 박물관, 미술관

이나

2. 〈보기〉와 같이 말해 봅시다.

〈보기〉 방학에 어디 가고 싶어요?
➡ 박물관이나 미술관에 가고 싶어요. (박물관, 미술관)

① 방학에 뭐 보고 싶어요?
➡ ____________________을/를 보고 싶어요. (영화, 연극)

② 방학에 어디 가고 싶어요?
➡ ____________________에 가고 싶어요. (바다, 산)

③ 무엇을 타고 싶어요?
➡ ____________________을/를 타고 싶어요. (기차, 비행기)

3. 방학에 하고 싶은 숙제를 친구들에게 말해 봅시다.

나는 방학에 제주도나 강원도 여행을 하고 싶어. 너는 뭐 하고 싶어?

____
____

4 방학 규칙

1. 다니엘의 방학 규칙을 읽어 봅시다.

겨울 방학 규칙

① 운동을 열심히 한다.

② 일찍 자고 일찍 일어난다.

③ 방학 숙제를 열심히 한다.

④ 동생과 싸우지 않는다.

⑤ 컴퓨터 게임 시간을 줄인다.

⑥ 위험한 놀이를 하지 않는다.

1) 다니엘이 방학에 무엇을 열심히 해요?

2) 다니엘이 방학에 무엇을 하지 않아요?

3) 여러분은 방학에 무엇을 가장 열심히 하고 싶어요?

일찍, 일어나다,
싸우다, 줄이다, 위험하다

-지 않다

2. 〈보기〉와 같이 대답해 봅시다.

〈보기〉 다니엘이 동생과 싸워요?
➡ 아니요, 동생과 싸우지 않아요.

① 눈이 와요?
➡ 아니요, ________________.

② 다니엘이 책을 읽어요?
➡ 아니요, 다니엘이 책을 ________________.

③ 운동장에 아이들이 많아요?
➡ 아니요, 운동장에 아이들이 ________________.

3. 겨울 방학 규칙을 읽어 봅시다.

겨울 방학 규칙	O, X
① 매일 운동을 한다.	
② 방학 숙제를 나중에 한다.	
③ 친구와 싸운다.	
④ 추우니까 씻지 않는다.	
⑤ 집에 들어오면 손을 씻는다.	
⑥ 방학이니까 늦게 자고 늦게 일어난다.	

1) 바른 것에 ○표, 바르지 않은 것에 ×표를 하세요.

2) 바르지 않은 방학 규칙을 바르게 말해 보세요.

5 방학 여행

1. 엠마가 방학 여행을 준비합니다. 여행 준비물을 읽어 봅시다.

1) 엠마의 여행 준비물에 표시하고 〈보기〉와 같이 말하세요.

〈보기〉 엠마가 티셔츠랑 반바지를 준비해요.

여행 준비물	준비했어요	여행 준비물	준비했어요	여행 준비물	준비했어요
티셔츠	○	양말		운동화	
스웨터		모자		속옷	
반바지		장갑		카메라	
청바지		우산		휴대 전화	
수영복		휴지			

2) 여행 갈 때 꼭 가져가고 싶은 준비물 3개를 써 보세요.

① ------------------ ② ------------------ ③ ------------------

티셔츠, 반바지, 운동화, 속옷, 양말, 모자, 우산, 휴지, 휴대 전화

이랑

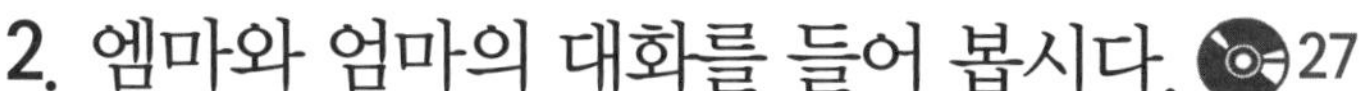

2. 엠마와 엄마의 대화를 들어 봅시다. 27

1) 엠마가 꼭 가져갈 준비물이 뭐예요?

2) 〈보기〉와 같이 질문에 대답해 보세요.

〈보기〉 여행을 갈 때 뭘 준비해요?
➡ 여행을 갈 때 양말이랑 속옷을 준비해요.

① 바다에 갈 때 뭘 준비해요?
➡ 바다에 갈 때 ___________이랑/랑 ___________을/를 준비해.

② 한라산에 갈 때 뭘 가져가요?
➡ 한라산에 갈 때 ___________이랑/랑 ___________을/를 준비해.

3. 〈보기〉와 같이 말해 봅시다.

〈보기〉
오딜: 이번 방학에 바다에 가고 싶어.
엠마: 바다에 갈 때 수영복이랑 모자를 가져가야 해.

이번 방학에 ___________에 가고 싶어.

___________에 갈 때 ________이랑/랑 ____________________.

6 겨울 방학에 한 일

1. 대화를 들어 봅시다. 28

1) 친구들이 겨울 방학에 무엇을 했어요?

다니엘은 친구들과 눈싸움을 했어요.

① 서영이는 ______________________.

② 장위는 중국에서 ______________________.

③ 오딜은 ______________________.

④ 준서는 눈썰매를 ______________________.

2) 여러분은 겨울 방학에 고향에서 뭐 했어요?

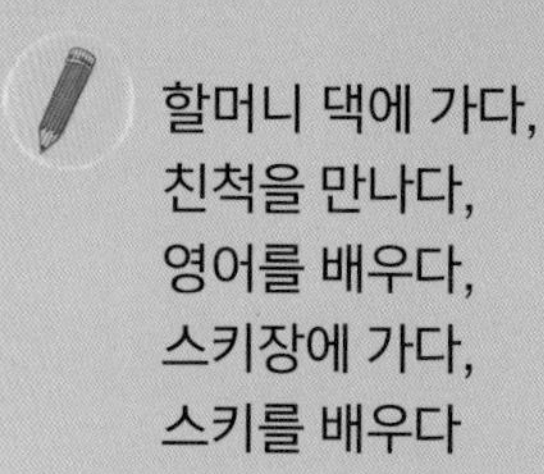

할머니 댁에 가다,
친척을 만나다,
영어를 배우다,
스키장에 가다,
스키를 배우다

2. 타이선이 겨울 방학에 한 일을 읽고 말해 봅시다.

아침 일찍 아빠와 스키장에 갔다. 나는 오늘 처음 스키를 탔다. 그래서 아빠와 타기 전에 따로 스키를 배웠다. 1시간 뒤에 아빠를 만났다. 아빠와 함께 탈 때 더 재미있었다.

① 타이선은 아빠와 --.

② 타이선은 오늘 처음 ---.

③ 타이선은 아빠와 타기 전에 따로 ---------------------------------.

④ 타이선은 스키를 배운 뒤에 --------------------------------------.

3. 타이선이 겨울 방학에 한 일을 읽고 말해 봅시다.

방	비	학	스	키
눈	썰	매	케	얼
싸	사	숙	이	음
움	제	람	트	낚
해	외	여	행	시

겨울 방학에

----------------------------.

7 방학 일기

1. 타이선의 일기를 읽어 봅시다.

20◯◯년 ◯월 ◯일 ◯요일

제목: 정말 빠른 물 미끄럼틀

드디어 오딜과 수영장에 갔다. 저번에 갔을 때 못 타서 제일 먼저 물 미끄럼틀을 탔다. 누워서 타니까 하늘을 나는 것 같았다. 정말 빠르고 재미있었다. 또 타고 싶다.

1) 타이선이 방학에 뭐 했어요?

2) 타이선이 왜 제일 먼저 물 미끄럼틀을 탔어요?

3) 타이선이 물 미끄럼틀을 탈 때 어떤 기분이 들었어요?

2. 그림을 보고 일기를 써 봅시다.

20○○년 ○월 ○일 ○요일

제목: --

엄마와 어린이 도서관------------------------.
저번에 갔----------------- 읽지 못한 책을 골랐다.
도서관에 예쁜 의자가 많았다. 예쁜 의자에 앉아서
책을 읽---------------- 더 재미있었다.

〈보기〉
에 가다   –으니까   –을 때

3. 방학 일기 제목을 써 봅시다.

1) 여러분의 방학 경험을 친구들에게 말해 보세요.

2) 말한 내용에 알맞은 제목을 써 보세요.

8 보고서 읽기

1. 보고서를 읽고 다니엘의 느낌을 써 봅시다.

〈방학 숙제: 요리 만들기〉

딸기 케이크 만들기

이름: 다니엘

날짜: 20○○년 ○월 ○일 ○요일

과정 사진	과정 설명	느낌
	① 재료를 준비해요. 재료: 빵, 딸기, 생크림	맛이 궁금했다.
	② 빵을 반으로 잘라요.	빵이 예쁘게 잘리지 않아서 답답했다.
	③ 빵 위에 생크림을 바르고 딸기를 올려요.	딸기를 올릴 때 먹고 싶었다.

	④ 빵을 다시 올리고 생크림을 발라요.	생크림 바르는 것이 어려웠다.
	⑤ 마지막으로 딸기를 예쁘게 올려요.	내가 요리사 같았다.
	⑥ 딸기 케이크를 다 만들었어요.	다 만드니까 정말 기분이 좋았다.

〈요리를 한 느낌〉

케이크를 만들 때 힘들었다.
빵이 ______________ ______________ ______________ 답답했다.
생크림 ______________________________ 어려웠다.
하지만 딸기 케이크를 다 ______________ 기분이 좋았다.
다음 달 엄마 생신 때도 사지 않고 내가 만들 것이다.

2. 요리를 만든 경험을 친구들에게 말해 봅시다.

9 방학 이야기

1. 방학 온도계를 읽고 써 봅시다.

1) 서영이의 방학 온도계를 읽어 보세요.

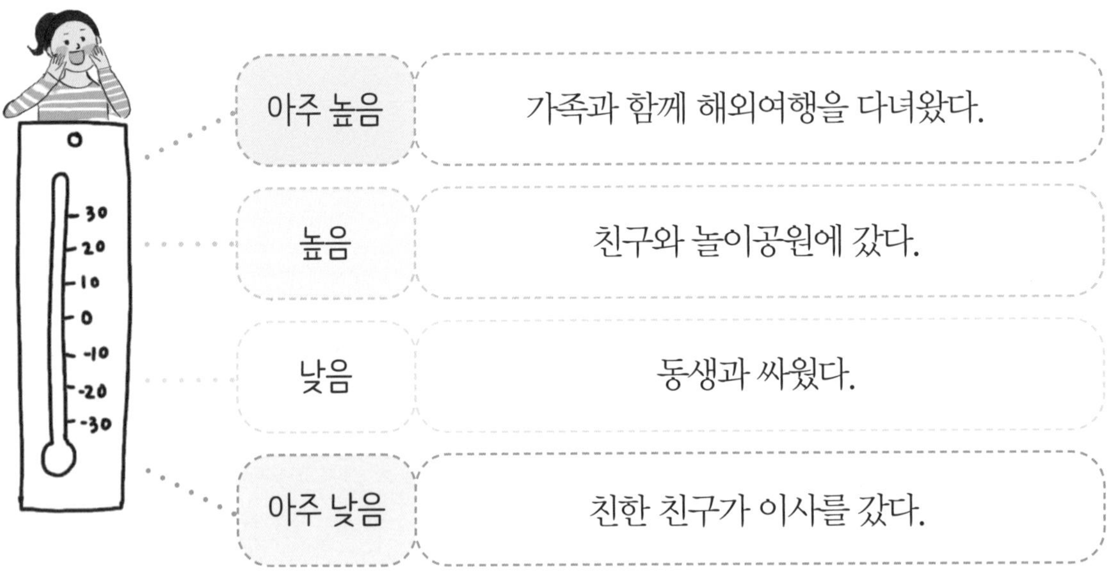

아주 높음
가족과 함께 해외여행을 다녀왔다.
높음
친구와 놀이공원에 갔다.
낮음
동생과 싸웠다.
아주 낮음
친한 친구가 이사를 갔다.

좋은 경험은 높은 온도에 쓰고,
나쁜 경험은 낮은 온도에 써요.

2) 여러분의 방학 온도계를 써 보세요.

2. 방학을 어떻게 보내고 싶은지 알아봅시다.

1) 대답하세요.

방학은 어떻게!

1) 방학에 몇 시에 일어나고 싶어요?

① 오전 8시 이전　② 오전 8시~9시
③ 오전 9시~10시　④ 오전 10시 이후
⑤ 다른 생각 (　　　　　　　　　　)

2) 방학 동안 가장 하고 싶은 일이 뭐예요?

① 가족과 여행 가기　② 늦잠 자기
③ 영화관에서 영화 보기　④ 컴퓨터 게임하기
⑤ 친구들과 놀기　⑥ 다른 생각 (　　　　　　)

3) 방학 때 가고 싶은 곳이 어디예요?

① 수영장　② 바다　③ 계곡　④ 놀이공원
⑤ 스키장　⑥ 스케이트장　⑦ 해외

4) 방학 때 하고 싶은 운동은 뭐예요?

① 수영　② 배드민턴　③ 축구　④ 태권도
⑤ 농구　⑥ 탁구　⑦ 야구

2) 결과를 친구들과 비교해 보세요.

10 생각 넓히기

1. 방학에 여행하기 좋은 곳입니다. 읽고 가리켜 봅시다.

2. 친구들의 한국 여행 경험을 읽어 봅시다.

설악산에 갔어요.
계곡이 아름다워서 사진을 많이 찍었어요.

부여 박물관에 갔어요.
한국의 옛날 물건을 처음 봤어요.

여수에서 케이블카를 탔어요. 케이블카에서
바다를 봤어요. 바다가 정말 멋있었어요.

해운대 바다에서 물놀이를 했어요.
파도가 칠 때 재미있었어요.

제주도에 갔어요. 한라산 근처에서
귤을 따 먹었어요. 정말 맛있었어요.

3. 방학 여행이나 한국 여행 경험을 말해 봅시다.

필수

1 음식과 맛
2 여러 가지 음식
3 음식 먹는 방법
4 요리법
5 생일에 먹는 음식
6 급식 시간

선택

7 학교 급식 설문지
8 좋아하는 음식 설명하기
9 시 읽기
10 생각 넓히기

6 음식과 맛

학습 목표
- 맛을 표현할 수 있다.
- 요리법을 말할 수 있다.
- 음식 먹는 방법을 말할 수 있다.

- 한국 음식 중에서 무슨 음식을 잘 먹어요?
- 오늘 급식 시간에 무엇을 먹었어요? 맛이 어땠어요?

1 음식과 맛

1. 여러 가지 음식의 맛을 이야기해 봅시다.

1) 그림을 보고 가리켜 보세요.

2) 듣고 따라 하세요. 29

장위: 엄마, 뭐 만드세요?
엄마: 불고기를 만들고 있어.
장위: 불고기는 무슨 맛이에요?
엄마: 짠맛도 나고 단맛도 나.
한번 먹어 봐.

달다, 쓰다, 시다, 맵다, 싱겁다, 짜다

-어 보다

2. 그림을 보고 질문에 답해 봅시다.

1) 이 음식은 맛이 어때요?

2) 이 음식을 먹어 봤어요?

3. '먹어 봤어요' 빙고 게임을 해 봅시다.

〈놀이 방법〉 ① 여러분이 지금까지 먹은 한국 음식을 써 보세요.
② 친구들이 말한 음식이 나오면 "먹어 봤어요."라고 말해요. 그리고 음식 이름에 X표 하세요.
③ 모든 음식에 X표 하면 "다 먹어 봤어요."라고 말해요.

2 여러 가지 음식

1. 좋아하는 음식, 싫어하는 음식이 무엇인지 이야기해 봅시다.

1) 무슨 음식이 있어요? 그림을 보고 가리켜 보세요.

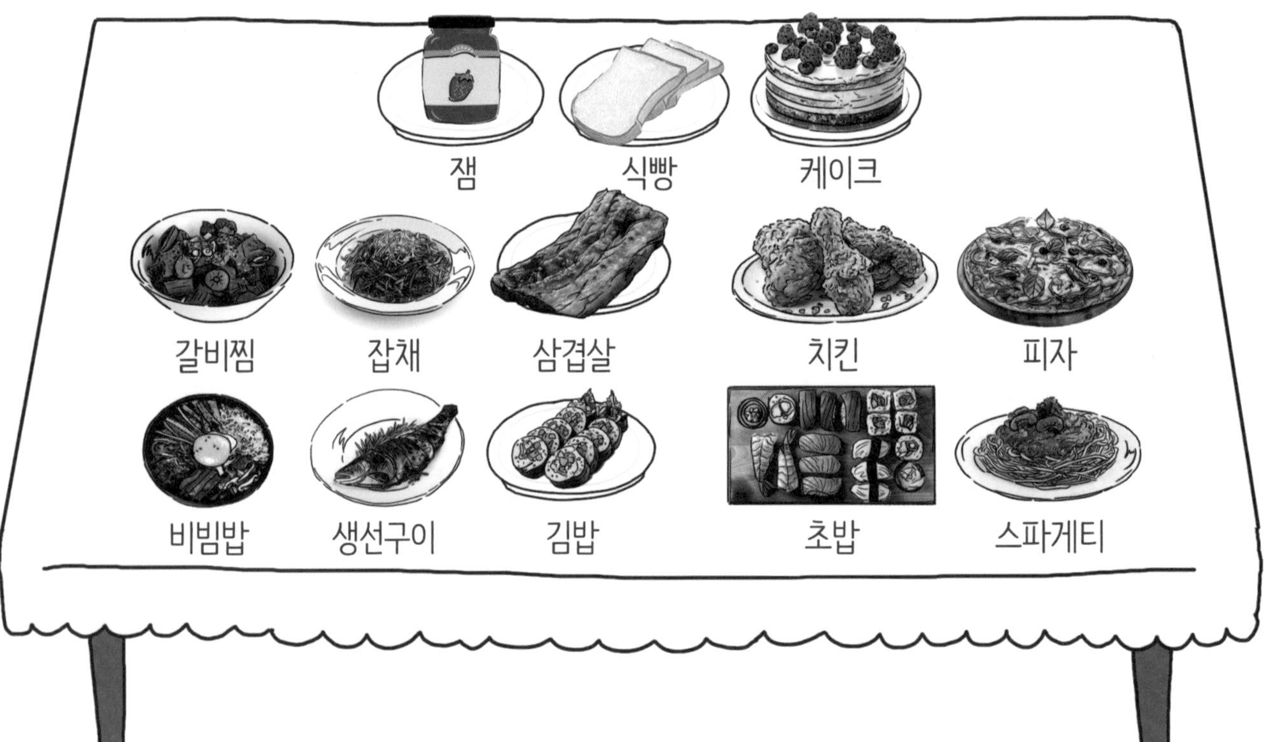

2) 듣고 따라 하세요. 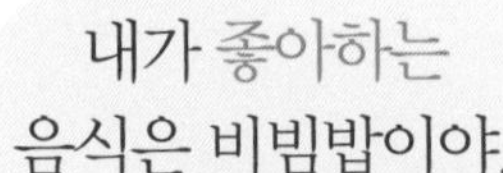

내가 좋아하는 음식은 비빔밥이야.
내가 싫어하는 음식은 생선구이야.
많이 먹으면 뚱뚱해지는 음식은 치킨이야.
내가 못 먹는 음식은 삼겹살이야.

뚱뚱해지다, 싫어하다, 팔다, 사다

-는

2. 〈보기〉와 같이 이야기해 봅시다.

자주 먹는 음식이 뭐야?
내가 자주 먹는 음식은 햄버거야.

〈보기〉 내가 자주 먹는 음식	① 급식 시간에 자주 나오는 음식	② 엄마가 잘 만드시는 음식
③ 빵집에서 파는 것	④ 슈퍼마켓에서 살 수 있는 것	⑤ 내가 안 좋아하는 음식

3. 음식 카드를 만들어 친구와 이야기해 봅시다. 부록

〈놀이 방법〉 ① 3장의 빈 카드를 가지세요.
② 앞면에는 음식 설명을 쓰고 뒷면에는 음식 이름을 쓰세요.
③ 친구 카드의 앞면을 보고 친구에게 질문해 보세요.

요우타, 아빠가 좋아하시는 음식이 뭐야?
우리 아빠가 좋아하시는 음식은 불고기야.
뒷면
아빠가 좋아하시는 음식
불고기
앞면

3 음식 먹는 방법

1. 음식 먹는 방법에 대해 이야기해 봅시다.

1) 그림을 보고 가리켜 보세요.

2) 듣고 따라 하세요. 31

엄마: 엄마, 삼겹살은 어떻게 먹어요?
엄마: 상추에 고기를 싸서 먹는 거야.
엄마: 그럼 만두는요?
엄마: 만두는 간장에 찍어서 먹으면 맛있어.

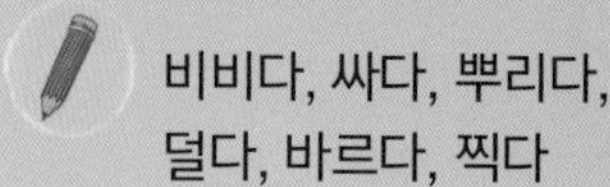

비비다, 싸다, 뿌리다,
덜다, 바르다, 찍다

2. 어떻게 먹을까요? 알맞은 말을 연결하고 써 봅시다.

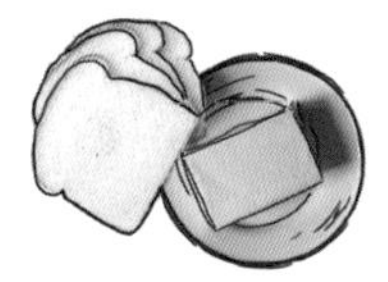   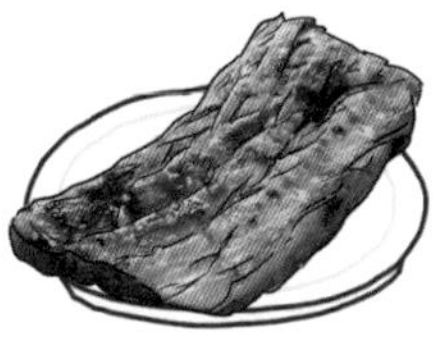 

① 비비다	② 바르다	③ 싸다	④ 찍다	⑤ 뿌리다
달걀과 밥을	빵에 버터를	삼겹살을 상추에	초밥을 간장에	피자에 치즈 가루를
------------	------------	------------	------------	------------
먹어요.	먹어요.	먹어요.	먹어요.	먹어요.

3. 세계 여러 나라의 음식입니다. 먹는 방법을 이야기해 봅시다.

중국 딤섬 

인도 카레

일본 초밥 

 이탈리아 피자

4 요리법

1. 여러 가지 음식을 만드는 방법을 이야기해 봅시다.

1) 그림을 보고 가리켜 보세요.

2) 삶은 달걀 샌드위치를 만드는 방법을 들어 보세요. 32

안녕하세요. 오늘은 삶은 달걀 샌드위치를 만들 거예요.
먼저 물을 끓여요. 끓인 물에 달걀을 넣고 삶아요. 삶은 달걀을 작게 잘라요.
당근도 작게 잘라 주세요. 달걀, 당근, 설탕, 마요네즈를 섞어 주세요.
빵에 섞은 재료를 발라 주세요. 반으로 자른 빵을 예쁘게 접시에 놓으세요.
자, 이제 맛있게 드세요.

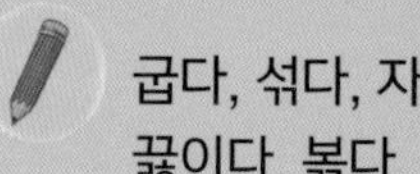
굽다, 섞다, 자르다,
끓이다, 볶다, 삶다

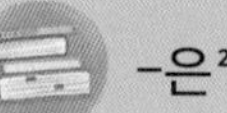
-은[2]

2. 삶은 달걀 샌드위치를 만드는 순서예요. 알맞은 말을 넣어 봅시다.

- 물을 ① ______________.
- 끓인 물에 달걀을 넣어요.
- 달걀을 ② ______________.

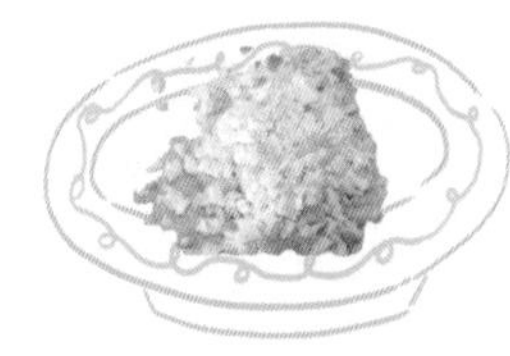

- 삶은 달걀을 작게 ③ ______________.

- 당근도 작게 ④ ______________.

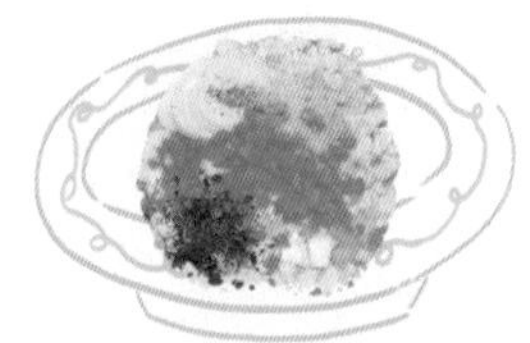

- 잘라 놓은 달걀과 당근에 설탕과 마요네즈를 넣어요.
- 모두 ⑤ ______________.

- 빵에 섞은 재료를 발라 주세요.

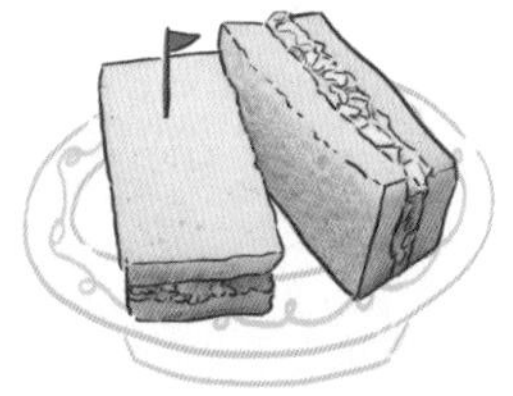

- 자른 빵을 접시에 예쁘게 놓아요.

3. 오늘의 급식 식단을 보고 알맞은 요리법을 써 봅시다.

오늘의 식단 7월 5일 월요일
밥 ① 된장국 ② 볶음 우동 ③ 생선 구이 ④ 삶은 감자 김치 사과, 우유

①

②

③

④

5 생일에 먹는 음식

1. 생일 파티를 준비하는 준서의 이야기를 읽어 봅시다.

1) 읽어 보세요.

내일은 제 생일이에요.
내일 우리 집에서 생일 파티가 있어요.
그래서 친구들이 우리 집에 와요.

엄마와 같이 마트에 왔어요.
친구들과 같이 먹을 과자를 샀어요.
같이 마실 주스와 우유도 샀어요.
친구들에게 줄 수첩도 샀어요.

엄마가 요리를 하실 거예요.
엄마가 제 생일에 만들 음식은
미역국과 잡채예요.
피자와 치킨은 살 거예요.

친구들과 같이 할 보드게임도 샀어요.
친구들과 같이 놀 생각을 하니까
정말 신나요.

생일, 파티, 마트,
미역국, 신나다

-을

2. 다시 읽고 맞는 것을 찾아 ○표 해 봅시다.

1) 내일 친구들과 먹을 것은 뭐예요?

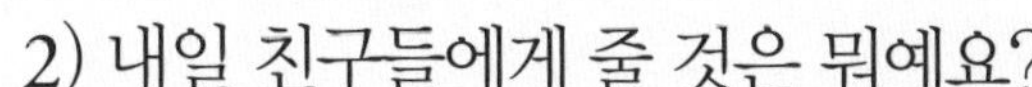
2) 내일 친구들에게 줄 것은 뭐예요?

3) 내일 엄마가 만들 음식은 뭐예요?

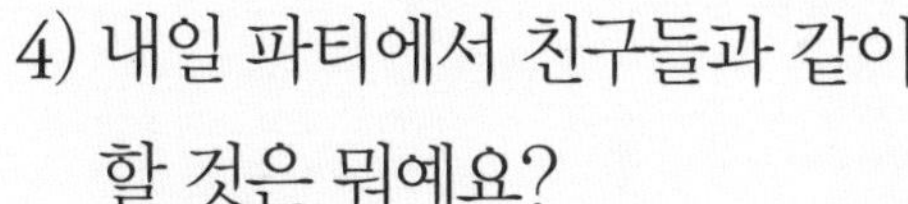
4) 내일 파티에서 친구들과 같이 할 것은 뭐예요?

3. 나의 생일 파티에 준비할 것을 말해 봅시다.

1) 준비할 것을 써 보세요.

〈보기〉
친구들이 오기 전에
할 일은 청소하는 거예요.

같이 먹을 간식은
---------------------.

엄마가 만들 요리는
---------------------.

---------------------.

2) 생일 파티에 준비할 것을 친구와 이야기해 보세요.

6 급식 시간

1. 급식 시간에 할 일을 알아봅시다.

1) 들어 보세요. 33

서영: 장위야, 음식이 흘러. 식판을 잘 들어.
장위: 고마워. 음식이 흐르는 줄 몰랐어.
서영: 밥과 국을 받을 때는 식판을 돌려.
장위: 응. 그런데 반찬을 더 먹고 싶을 때는 어떻게 말해?
서영: "반찬 좀 더 주세요."라고 말해.

2) 그림을 보고 가리켜 보세요.

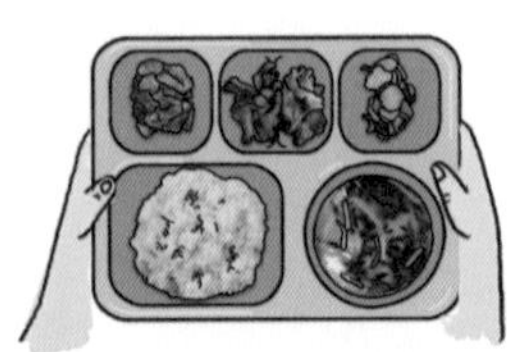

식판을 들다

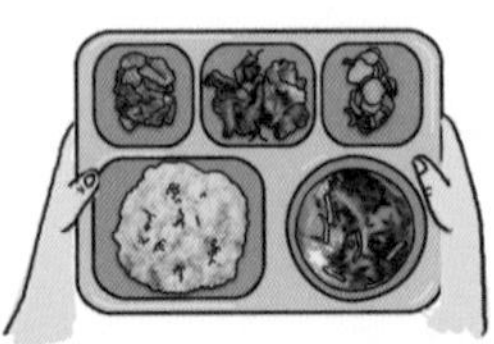

식판을 돌리다

음식이 흐르다

배식대

국 좀 더 주세요.

__________ 더 주세요.

배식대, 식판을 들다,
식판을 돌리다,
음식이 흐르다, 더

2. 그림을 보고 알맞은 말을 넣어 봅시다.

①

식판을 한 손으로 ____________지 않아요.

②

음식을 받을 때 앞사람을 밀면 음식이 ____________.

③

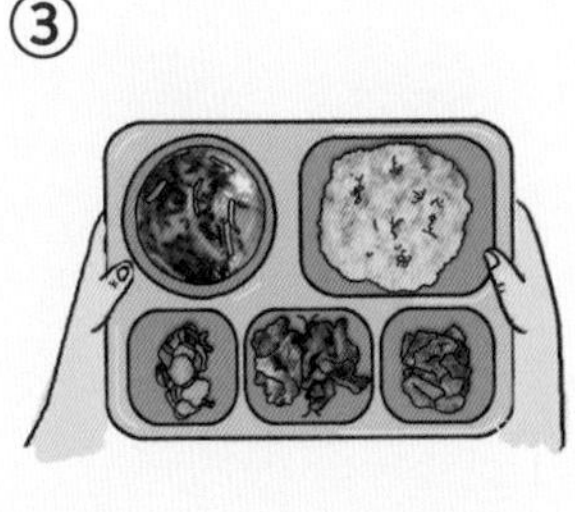

밥과 국을 받을 때는 식판을 ____________.

④

음식을 다 받은 후 식판을 돌리지 마세요. 국이 흐르면 뜨거워요.

⑤

음식을 더 먹고 싶으면
"국 좀 더 ____________."
"고기 좀 더 ____________."
라고 말해요.

3. 여러분은 급식실에서 어떻게 합니까? 친구와 이야기해 봅시다.

7 학교 급식 설문지

1. 우리 학교 급식이 어떻습니까? 질문에 답해 봅시다.

1) 질문을 읽고 ∨표 해 보세요.

질문	점수				
	매우 그렇다	그렇다	보통 이다	그렇지 않다	매우 그렇지 않다
① 학교 급식은 맛있다.					
② 학교 급식에서 먹는 음식은 뜨겁지 않다.					
③ 학교 급식에서 주는 음식의 양은 적당하다.					
④ 학교 급식에서는 여러 가지 음식을 준다.					
⑤ 학교 급식 음식은 깨끗하다.					
⑥ 학교 급식은 영양이 풍부하다.					
⑦ 학교에서는 급식 메뉴(식단)를 가정 통신문으로 보낸다.					
⑧ 학교 급식이 좋다.					
⑨ 학교 급식 환경은 깨끗하고 편안하다.					
⑩ 배식할 때 기다리지 않고 빨리 받을 수 있다.					

2. 우리 학교 급식에 대해 친구들의 생각을 물어봅시다.

1) 대답한 친구의 수를 써 보세요.

질문	그렇다 (명)	보통이다 (명)	그렇지 않다 (명)
〈보기〉 학교 급식은 맛있어요?	1		3
① 학교 급식에서 주는 양은 적당해요?			
② 학교 급식에서 여러 가지 음식을 줘요?			
③ 학교 급식 때 먹는 음식은 깨끗해요?			
④ 급식 환경은 깨끗하고 편안해요?			
⑤ 배식할 때 기다리지 않고 빨리 받을 수 있어요?			

3. 우리 학교 급식에 대해 이야기해 봅시다.

저는 급식 시간에 다양한 한국 음식을 먹어 봤어요.
급식 시간에 나오는 음식은 모두 맛있어요.
먹으면 건강해지는 음식이 많아요.

8 좋아하는 음식 설명하기

1. 유키가 좋아하는 음식을 들어 봅시다. 34

1) 유키가 이야기하고 있는 음식을 찾아보세요.

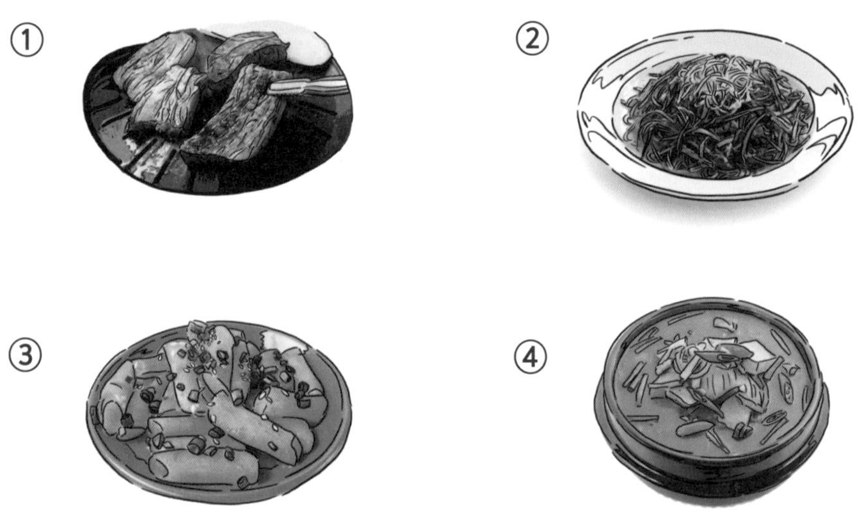

① ② ③ ④

2) 엄마가 만든 떡볶이는 왜 많이 맵지 않아요? 맞는 것에 ○표 하세요.

① 고추장을 넣어서 맵지 않아요.

② 케첩을 넣어서 맵지 않아요.

③ 우유랑 같이 먹어서 맵지 않아요.

2. 내가 좋아하는 음식 이름을 쓰고 그려 봅시다.

내가 좋아하는 음식: ______________________________

① 좋아하는 음식이 뭐예요? ______________________________

② 맛이 어때요? ______________________________

③ 무엇으로 만들어요? ______________________________

④ 어떻게 먹어요? ______________________________

3. 내가 좋아하는 음식을 친구들에게 소개해 봅시다.

제가 좋아하는 음식은 떡볶이예요.
조금 매워요. 그렇지만 아주 맛있어요.
떡볶이는 떡과 어묵에 고추장과 설탕을 넣어서
만들어요. 튀김과 같이 먹으면 더 맛있어요.
친구들도 떡볶이를 먹어 보세요.

9 시 읽기

1. 시를 들어 봅시다. 35

몰래 몰래 먹으면

김준범

달콤달콤 초콜릿
엄마 몰래 냠냠

새콤달콤 오렌지 주스
아빠 몰래 꿀꺽꿀꺽

아이 뜨거! 라면도
동생 몰래
후후 불어
후루룩후루룩

아이! 배 아파
꾸르륵꾸르륵

맛있는 건
몰래 말고
다 같이 냠냠

2. 음식을 먹을 때 나는 소리나 모양을 흉내 내는 말을 알아봅시다.

1) 그림에 알맞은 말을 〈보기〉에서 찾아 쓰세요.

〈보기〉 꾸르륵꾸르륵 냠냠 꿀꺽꿀꺽 후루룩후루룩

① 아이가 음식을 ---------- 맛있게 먹어요.

② 물이나 음료수를 ---------- 마셔요.

③ 국수를 ---------- 먹어요.

④ 배가 아파서 뱃속에서 ---------- 소리가 나요.

2) 1에서 소리나 모양을 흉내 내는 말을 찾아서 ○표 해 보세요.

3. 소리나 모양을 흉내 내는 말을 생각하며 다시 시를 읽어 봅시다.

10 생각 넓히기

1. 특별한 날 먹는 한국의 음식입니다. 읽어 봅시다.

생일에 먹는 음식 - 미역국

한국 사람들은 생일에 미역국을 먹어요.
엄마가 아이를 낳은 후에 미역국을 먹어요.

설날 먹는 음식 - 떡국

1월 1일 설날이 되면 가족과 함께 떡국을 먹어요.
떡국을 먹어야 나이를 한 살 더 먹는다고 생각해요.

동지에 먹는 음식 - 팥죽

동지는 1년 중 밤이 가장 긴 날이에요. 동짓날에는 팥을 넣어 만든 팥죽을 먹어요. 귀신이 붉은색을 싫어해서 귀신을 쫓을 수 있다고 생각해요.

추석에 먹는 음식 - 송편

음력 8월 15일 추석이 되면 가족들이 모여서 송편을 빚어서 먹어요. 송편을 예쁘게 빚으면 예쁜 아이를 낳는다는 말이 있어요.

2. 언제 먹는 음식인지 써 봅시다.

① 

② 

③ 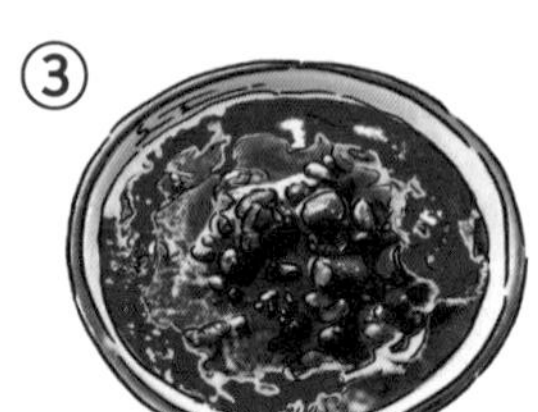

④ 

3. 특별한 날 먹는 세계 여러 나라의 음식입니다. 읽어 봅시다.

장수면 - 중국

중국에서 생일에 먹는 음식이에요.
장수면은 긴 면을 끊지 않고 한 번에 먹어야 해요.
그러면 오래 살 수 있다는 말이 있어요.

오세치 - 일본

일본에서 1월 1일 설날에 먹는 음식이에요.
오세치는 연근, 우엉, 새우, 콩으로 만들어요.
그리고 설날이 되기 전에 미리 요리를 준비해요.

칠면조와 호박 파이 - 미국

미국에서 추수 감사절에 먹는 음식이에요.
가족이 다 같이 모여서 칠면조와 호박 파이를 먹어요.

반쭝투 - 베트남

베트남의 추석인 쭝투에 먹는 음식이에요.
빵 속에 달걀이나 돼지고기를 넣어요.

4. 부모님 나라의 음식 중에서 특별한 날 먹는 음식을 소개해 봅시다.

필수

1 물건 가격
2 물건을 살 수 있는 곳
3 문구점에서 학용품 사기
4 슈퍼마켓에서 물건 사기
5 옷 고르기
6 용돈

선택

7 심부름 쪽지 읽기
8 알뜰 시장 놀이
9 용돈 기입장 쓰기
10 생각 넓히기

7
물건 사기

학습 목표

- 물건 가격을 묻고 답할 수 있다.
- 가게에서 물건 사는 표현을 말할 수 있다.
- 마음에 드는 옷을 설명할 수 있다.

- 문구점에 무엇을 사러 갔어요?
- 여러분은 어디에서 간식을 사요?

1 물건 가격

1. 한국의 돈을 알아봅시다.

1) 얼마예요? 그림을 보고 가리켜 보세요.

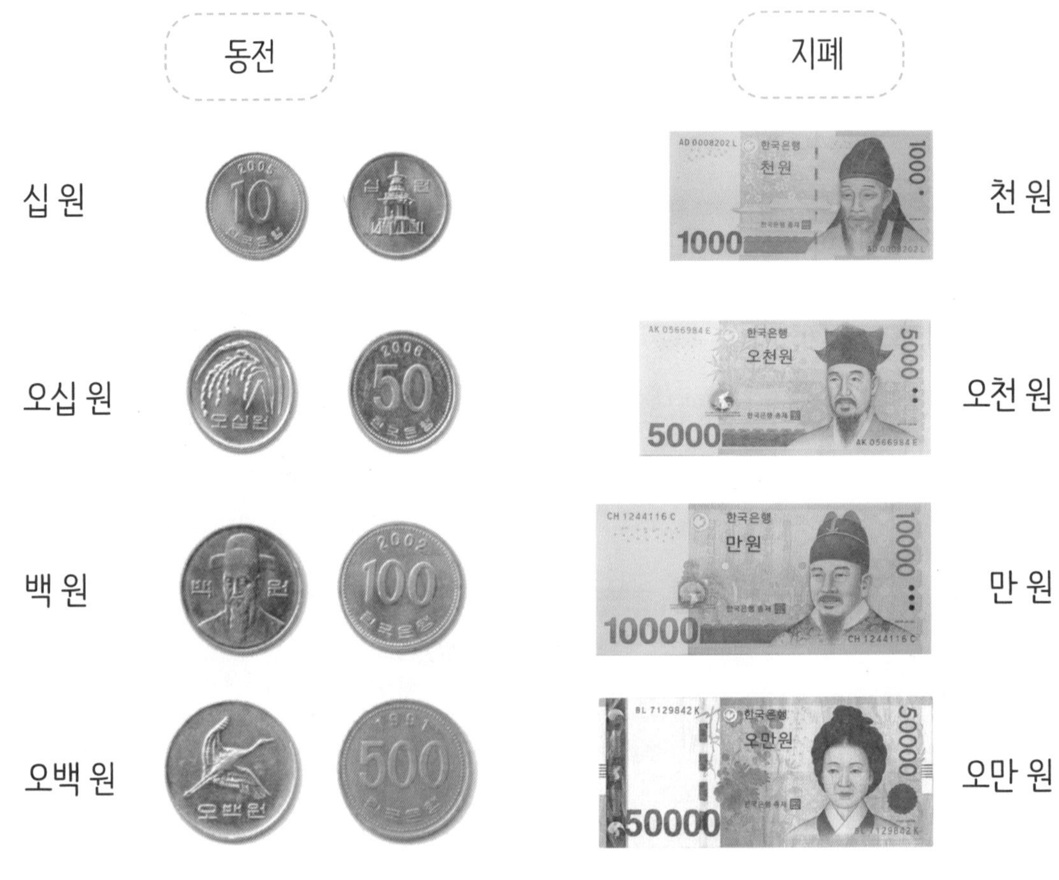

2) 듣고 따라 하세요. 36

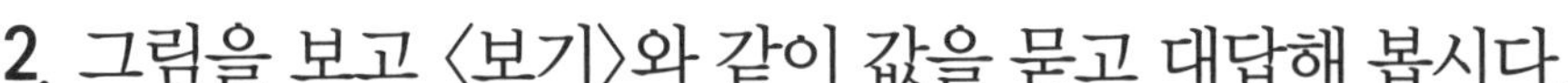

2. 그림을 보고 〈보기〉와 같이 값을 묻고 대답해 봅시다.

1) 값을 물어보세요.

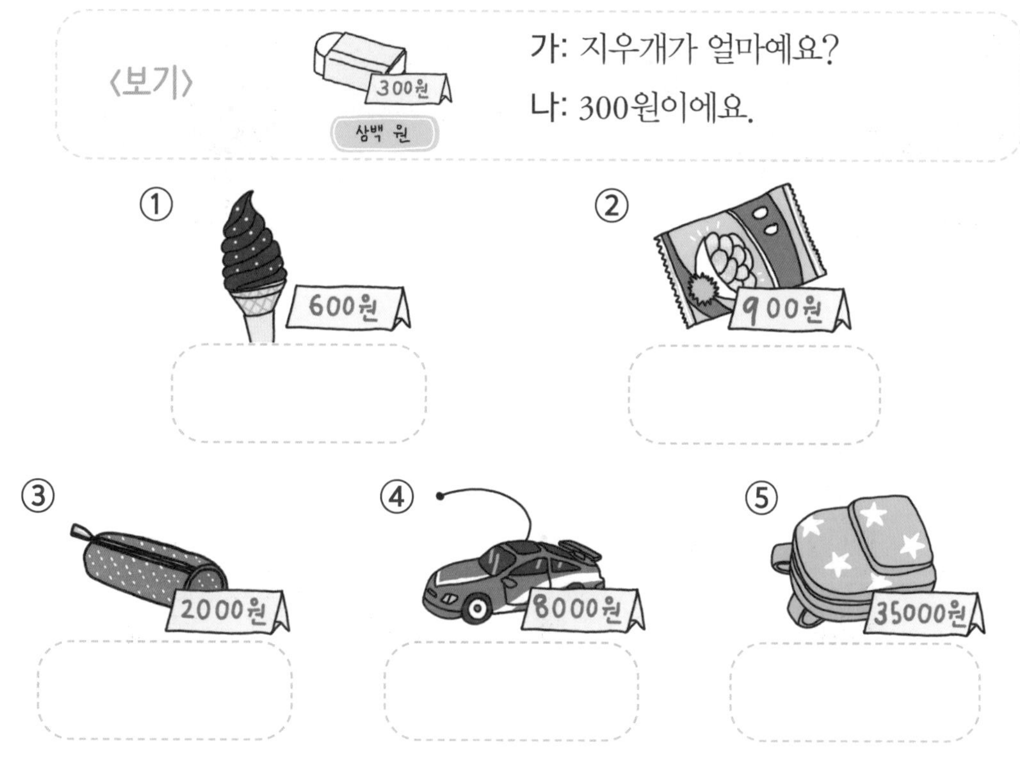

2) 물건의 가격을 한글로 써 보세요.

3. 내 물건이 얼마인지 친구와 이야기해 봅시다.

1) 가방 안에 무엇이 있어요?
물건값을 종이에 써 보세요.

2) 친구와 물건값을 묻고
대답해 보세요.

2 물건을 살 수 있는 곳

1. 물건을 살 수 있는 곳을 알아봅시다.

1) 그림을 보고 가리켜 보세요.

슈퍼마켓

편의점

시장

마트

백화점

2) 듣고 따라 하세요. 37

넌 어디에서 아이스크림을 사?
나는 슈퍼마켓에서 아이스크림을 사. 슈퍼마켓이 편의점보다 집에서 가까워.

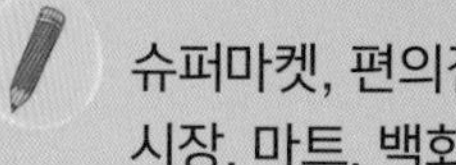

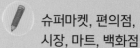

슈퍼마켓, 편의점,
시장, 마트, 백화점

보다

2. 〈보기〉와 같이 이야기해 봅시다.

〈보기〉 마트 〉 슈퍼마켓: 물건이 다양하다
➡ 마트가 슈퍼마켓보다 물건이 다양해요.

① 편의점 〉 슈퍼마켓: 집에서 가깝다
➡ --

② 편의점 〉 슈퍼마켓: 늦게까지 한다
➡ --

③ 시장 〉 슈퍼마켓: 물건값이 싸다
➡ --

④ 백화점 〉 시장: 물건값이 비싸다
➡ --

3. 다음을 살 수 있는 곳을 친구들과 이야기해 봅시다.

① 

② 

저는 엄마와 같이
시장에 가서 과일을 사요.
시장은 마트보다
과일이 많아요.

③ 

④ 

3 문구점에서 학용품 사기

1. 문구점에 무엇을 사러 갔는지 이야기해 봅시다.

1) 그림을 보고 가리켜 보세요.

2) 듣고 따라 하세요. 38

주인: 어서 오세요.
오딜: 안녕하세요. 알림장 두 권 주세요.
얼마예요?
주인: 1000원이에요.
오딜: 돈 여기 있어요.

스카치테이프, 도화지,
물감, 연필깎이, 실내화,
신발주머니

2. 〈보기〉와 같이 대화해 봅시다.

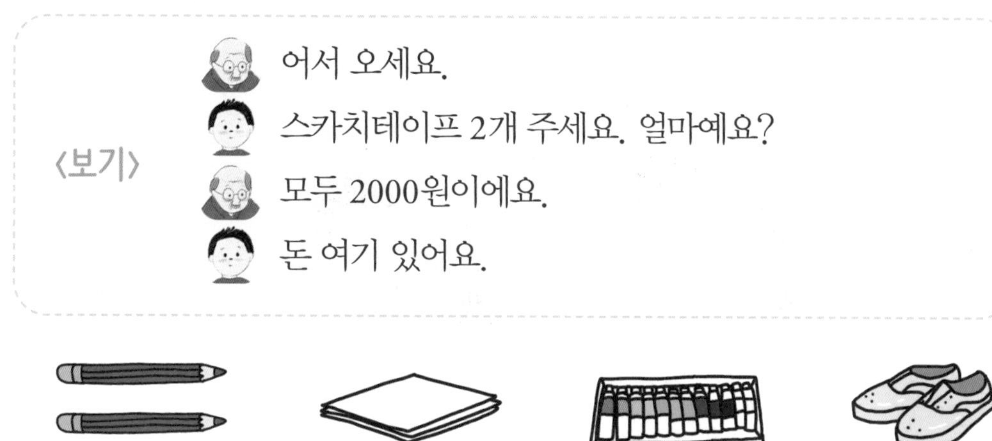
〈보기〉
어서 오세요.
스카치테이프 2개 주세요. 얼마예요?
모두 2000원이에요.
돈 여기 있어요.

① 빨간 색연필 2자루 1000원
② 흰색 도화지 3장 600원
③ 12색 물감 4500원
④ 실내화 1켤레 8000원

3. 다음 질문에 대답하고 문구점 주인과 손님이 되어 이야기해 봅시다.

어서 오세요.
공책 한 권 주세요.

질 문	대 답
1) 무엇을 살 거예요?	
2) 얼마나 살 거예요?	
3) 하나에 얼마예요?	
4) 모두 얼마예요?	

4 슈퍼마켓에서 물건 사기

1. 간식을 살 때 가게에서 어떻게 말합니까?

1) 그림을 보고 가리켜 보세요.

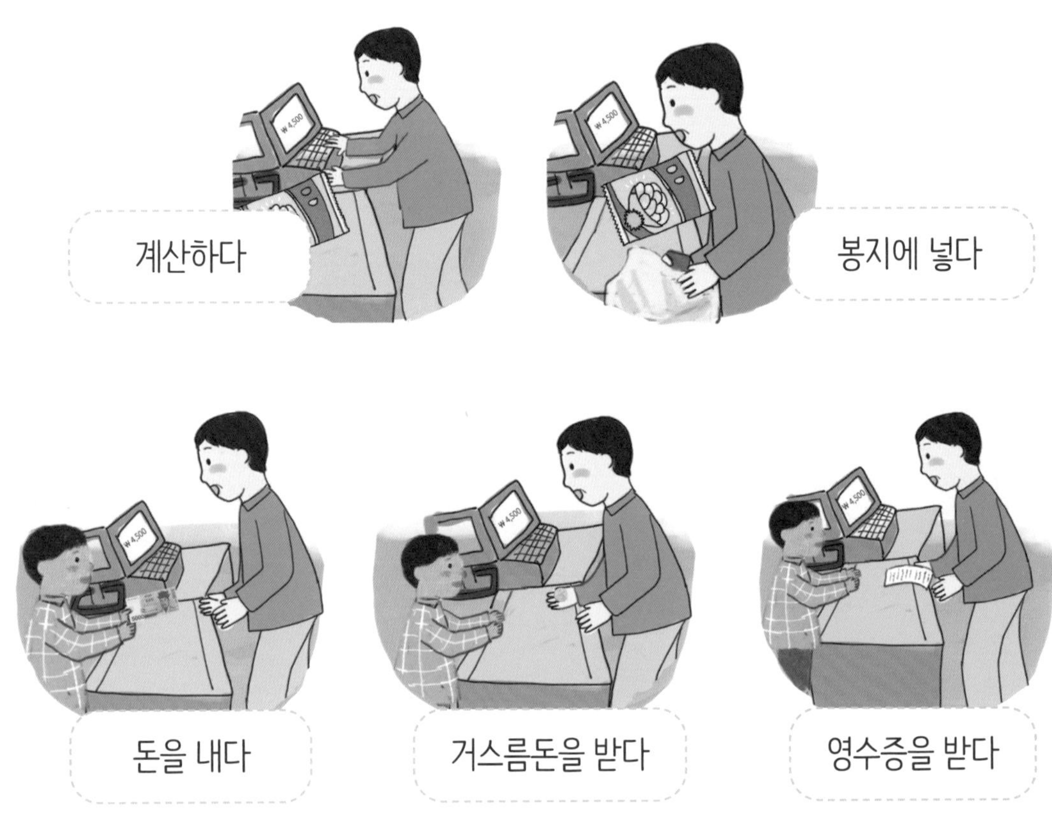

2) 타이선과 가게 주인이 이야기해요. 듣고 따라 하세요. 39

타이선: 아이스크림 3개 계산해 주세요.
주인: 모두 1500원이에요. 봉지에 넣어 줄까요?
타이선: 네, 봉지에 넣어 주세요.
주인: 여기 거스름돈 500원 있어요. 영수증 줄까요?
타이선: 네, 영수증 주세요. 감사합니다.
주인: 또 오세요.

계산하다, 봉지에 넣다,
돈을 내다, 거스름돈을 받다,
영수증을 받다

-을까요?

2. '과자 주세요' 게임을 해 봅시다. 부록

〈보기〉 사탕 초콜릿 과자 젤리 핫도그 컵라면 주스

① 카드에 가게에서 살 수 있는 간식 3가지를 써 보세요.

② 친구에게 "뭐 줄까요?" 하고 물어보면서 간식 카드를 보여 주세요.

③ 친구는 카드를 보고 "__________ 주세요." 라고 대답하세요.

3. 가게 주인과 손님이 되어 물건을 사고팔아 봅시다.

1) 순서에 맞게 대화를 만들어 보세요.

① 인사하기	
② 사고 싶은 물건 말하기	
③ 가격 물어보기	
④ 계산 부탁하기	
⑤ 봉지 부탁하기	
⑥ 돈 내고 거스름돈 받기	
⑦ 인사하기	

2) 가게 주인과 손님이 되어 친구와 이야기해 보세요.

5 옷 고르기

1. 어떤 옷을 좋아하는지 이야기해 봅시다.

1) 듣고 따라 하세요. 40

엄마: 이 빨간색 티셔츠 어때?

엠마: 모양은 괜찮지만 색깔이 별로 마음에 안 들어요.

엄마: 그러면 다른 색을 골라 봐.

엠마: 저는 노란색이 마음에 들어요.

엄마: 그래, 그럼 저 노란색 티셔츠를 사자.

2) 그림을 보고 가리켜 보세요.

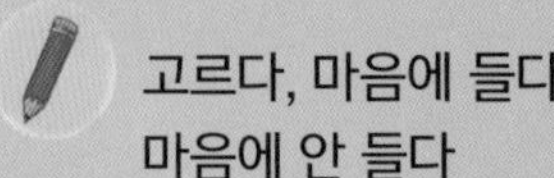

2. 다음 옷은 어떻습니까? 〈보기〉와 같이 이야기해 봅시다.

〈보기〉

색이 예쁘다/작다
➡ 색이 예쁘지만 작아요.

① 모양이 마음에 들다/작다

② 몸에 딱 맞다/내가 좋아하는 색깔이 아니다

③ 모양이 예쁘다/비싸다

④ 예쁘다/짧다

3. 〈보기〉와 같이 질문에 대답해 봅시다.

〈보기〉 제가 좋아하는 옷은 원피스예요.
저희 할머니께서 생일 선물로 사 주셨어요.
그 원피스는 조금 짧지만 모양이
마음에 들어서 그 원피스를 자주 입어요.

질문	대답
① 가지고 있는 옷 중에서 어떤 옷을 좋아해요?	
② 누가 그 옷을 사 주셨어요?	
③ 왜 그 옷을 좋아해요?	

6 용돈

1. 용돈에 대한 말을 배워 봅시다.

1) 그림을 보고 가리켜 보세요.

용돈을 받다

용돈을 쓰다

용돈을 모으다

2) 읽고 알맞은 낱말을 넣어 보세요.

저는 어머니께 한 달에 한 번 30000원을 받아요.
엠마는 25000원을 받고 준서는 20000원을 받아요.
저는 용돈을 많이 받는 편이에요. 용돈을 받으면 용돈 기입장을 써요.
들어온 돈은 '수입' 칸에, 나간 돈은 '지출' 칸에, 남은 돈은 '잔액' 칸에 써요.

〈보기〉

용돈 기입장
수입
지출
잔액

①

날짜	내용	②	③	④
10월 1일	용돈	30000		30000
10월 3일	친구 생일 선물		5000	25000
10월 5일	공책		1000	24000
10월 6일	간식		2000	22000
10월 8일	책 빌림		3000	19000

용돈을 받다, 용돈을 쓰다, 용돈을 모으다, 용돈 기입장, 수입, 지출, 잔액

-는 편이다

2. 친구에게 용돈에 대해 질문해 봅시다.

1) 친구에게 물어보고 써 보세요.

	질문	친구 1	친구 2	나
〈보기〉	일주일에 용돈을 얼마 받아?	4000원	6000원	8000원
①	일주일에 간식을 몇 번 사 먹어?			
②	일주일에 슈퍼마켓에 몇 번 가?			
③	용돈을 얼마 모아?			

2) 1)을 보고 〈보기〉와 같이 말해 봅시다.

〈보기〉 저는 일주일에 용돈을 8000원 받아요.
저는 용돈을 많이 받는 편이에요.

3. 유키와 엄마의 대화를 들어 봅시다. 41

1) 유키는 용돈을 얼마 받았어요?

① 

② 

③ 

④ 

2) 유키는 용돈을 모아서 어디에 쓸까요?

① 아이스크림을 사 먹을 거예요. ② 엄마 생신 선물을 살 거예요.

③ 책을 사서 장위에게 줄 거예요. ④ 동생 선물을 살 거예요.

7 심부름 쪽지 읽기

1. 엄마가 엠마에게 쓴 쪽지를 읽고 대답해 봅시다.

1) 읽어 보세요.

엠마, 학교 잘 갔다 왔니?
오늘 엄마가 약속이 있어서 조금 늦을 거야.
슈퍼마켓에 가서 간식을 사 먹어.
주스보다는 우유가 건강에 좋으니까 우유를 사.
그리고 네가 좋아하는 과자도 두 봉지 사.
봉지에 넣어서 오고 영수증도 꼭 받아.
돈은 식탁 위에 있어.
이따가 봐.

엄마가

2) 엠마는 무엇을 할지 맞는 것에 모두 ○표 해 보세요.

① 슈퍼마켓에 가서 간식을 살 거예요. ( )

② 약속이 있어서 늦게 올 거예요. ( )

③ 주스 한 병과 과자를 살 거예요. ( )

④ 간식을 사고 영수증을 받을 거예요. ( )

2. 슈퍼마켓에 간 엄마와 주인의 대화를 연습해 봅시다.

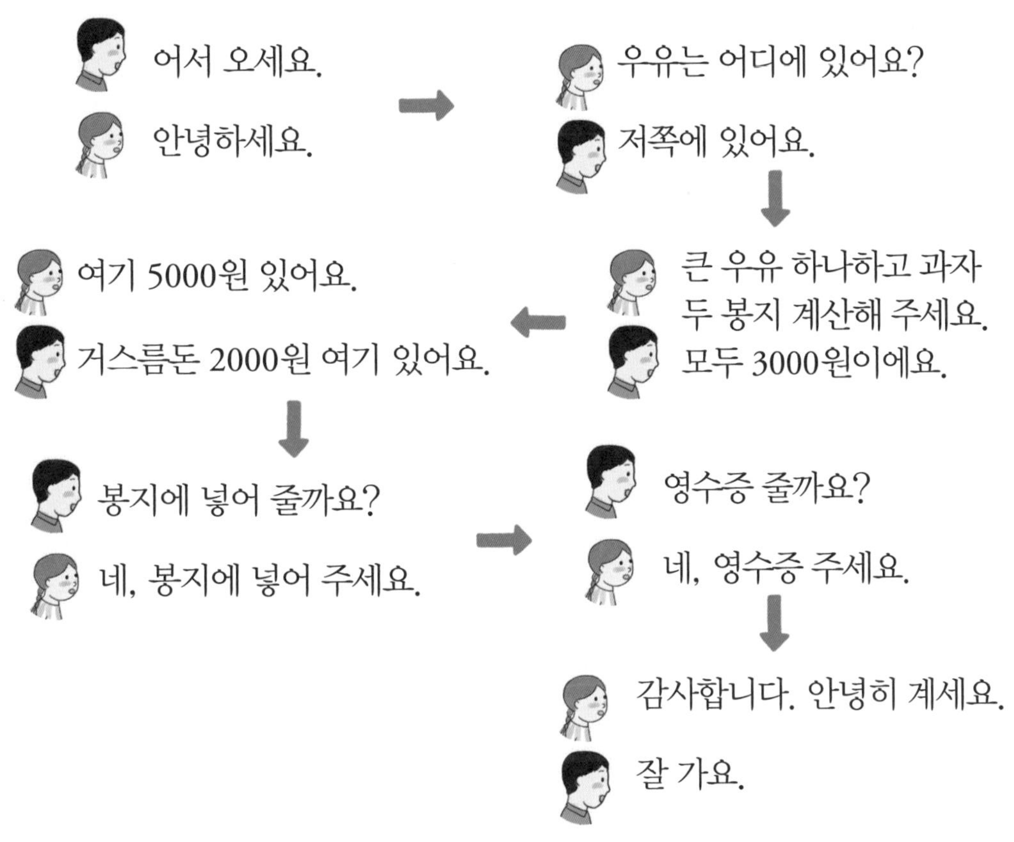

3. 짝과 물건을 사는 대화를 해 봅시다.

8 알뜰 시장 놀이

1. 알뜰 시장 행사 안내문을 읽어 봅시다.

1) 안내문을 읽어 보세요.

제5회 나래초등학교 알뜰 시장 행사

1. 언제: 4월 29일 금요일
2. 어디서: 교실
3. 누가: 나래초등학교 학생 모두
4. 준비물: 10개 정도의 물건(학용품, 책, 장난감, 생활용품)
5. 알뜰 시장 일정

1교시	가게 이름 정하기, 물건 가격 정하기, 가격표 붙이기
2교시	알뜰 시장 하기
3교시	교실 정리

모두 가게 주인이 되어 보세요.

2) 안내문을 읽고 맞는 것에 ○표 하세요.

① 4월 29일 금요일에 알뜰 시장이 열려요. ☐ 네 ☐ 아니요

② 운동장에서 알뜰 시장을 해요. ☐ 네 ☐ 아니요

③ 한 사람이 10개쯤 물건을 준비해요. ☐ 네 ☐ 아니요

④ 연필이나 공책을 팔아도 돼요. ☐ 네 ☐ 아니요

2. 친구들과 같이 알뜰 시장 놀이를 해 봅시다.

1) 같이 물건을 팔 친구를 정해요.

- 누구와 같이 알뜰 시장에서 물건을 팔 거예요?

2) 팔고 싶은 물건을 정해요.

- 무엇을 팔 거예요?

3) 팔 물건의 가격을 정하고 가격표를 만들어요.

- 물건의 가격은 얼마예요?

4) 친구에게 물건을 팔아 보세요.

- 무엇을 팔았어요?

- 모두 얼마를 벌었어요?

9 용돈 기입장 쓰기

1. 이야기를 듣고 빈칸에 알맞은 낱말을 〈보기〉에서 찾아 써 봅시다. 42

〈보기〉 용돈 햄버거 떡볶이 3000원 10000원

날짜	내용	수입	지출	잔액
9월 1일	①	②		10000
9월 5일	친구 생일 선물		③	7000
9월 7일	공책		1000	6000
9월 10일	④		2000	4000
9월 12일	⑤		3000	1000

2. 이번 달 용돈 기입장을 써 봅시다.

날짜	내용	수입	지출	잔액
월 일				
월 일				
월 일				
월 일				
월 일				

1) 이번 달에 받은 용돈은 얼마예요?

2) 용돈으로 무엇을 했어요?

3) 용돈이 얼마 남았어요?

10 생각 넓히기

1. 한국에서 유명한 전통 시장은 어디일까요?

남대문 시장

동대문 시장

2. 시장에서는 무엇을 많이 팔까요? 〈보기〉에서 찾아 써 봅시다.

〈보기〉 생선 조개 채소 꽃 옷 곡식

구리 농산물 시장

① 농산물 시장

부산 자갈치 시장

② 수산물 시장

양재 꽃 시장

③ 꽃 시장

동대문 의류 시장

④ 의류 시장

3. 우리 동네의 전통 시장을 조사해 봅시다.

1) 우리 동네 전통 시장의 이름을 써 보세요.

2) 우리 동네 시장에 무슨 가게가 있는지 이야기하고 써 보세요.

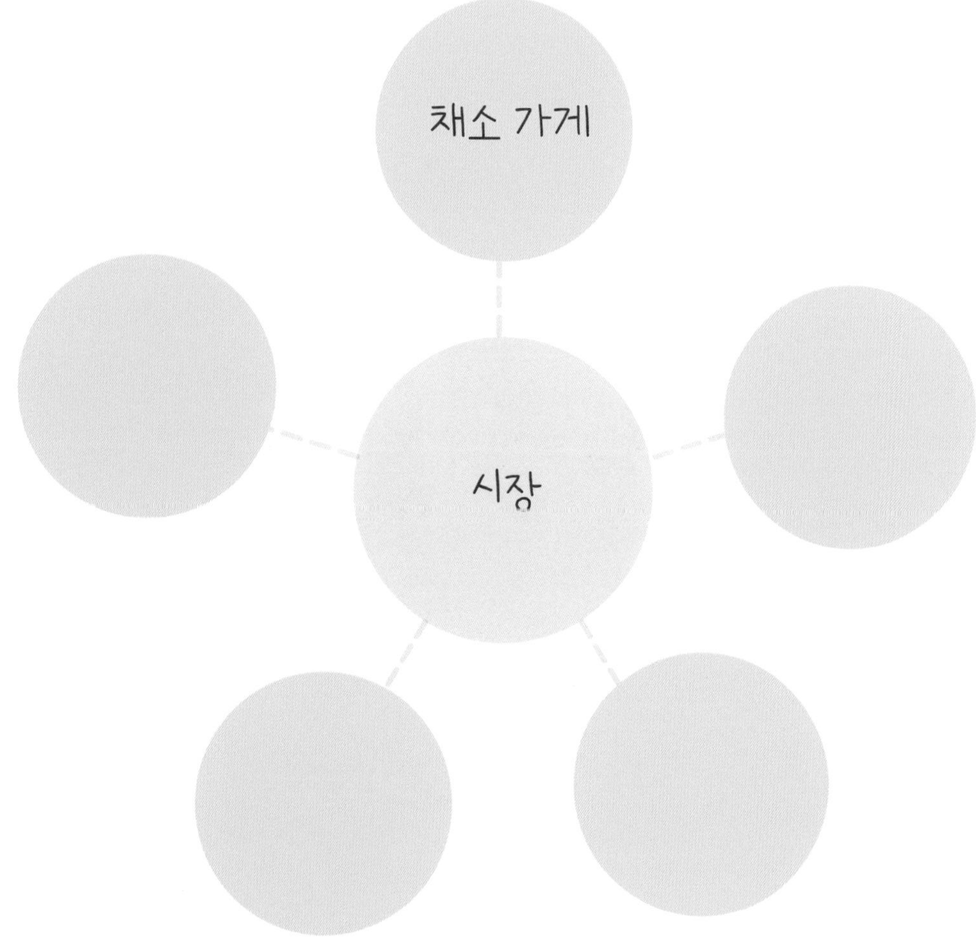

3) 시장에서 무엇을 샀는지 친구들과 이야기해 보세요.

필수

1 식사 예절
2 친구 집 방문 예절
3 공공장소
4 놀이터 예절
5 버스 예절
6 음식점 예절

선택

7 학교 아침 방송 듣기
8 이야기 읽기
9 게임하며 말하기
10 생각 넓히기

8

예절

학습 목표
- 식사 예절을 말할 수 있다.
- 친구 집 방문 예절을 말할 수 있다.
- 공공장소에서의 예절을 말할 수 있다.

- 할아버지, 할머니와 같이 밥을 먹을 때 어떻게 해요?
- 많은 사람들이 같이 이용하는 곳은 어디예요?

1 식사 예절

1. 식사할 때 예절에 대해 알아봅시다.

1) 그림을 보고 가리켜 보세요.

2) 듣고 따라 하세요. 43

식사할 때 지켜야 하는 예절이 있어요?

어른이 식사를 시작할 때까지 기다려야 해요.

또 다른 예절은요?

밥을 먹을 때 소리를 내지 않아야 해요.

예절을 지키다, 어른, 기다리다, 골고루 먹다, 소리를 내다, 뒤적거리다

-어야 하다

2. 그림에 맞는 식사 예절을 찾아 연결해 봅시다.

잘 먹었습니다.

다 맛있어.

밥 먹기 전에 손을 씻어야 해요.	음식을 뒤적거리지 않아야 해요.	음식을 골고루 먹어야 해요.	다 먹은 후에 감사 인사를 해야 해요.

3. 〈보기〉와 같이 바른 식사 예절을 말하고 써 봅시다.

〈보기〉  배가 고프니까 빨리 밥 먹자. — 밥 먹기 전에 손을 씻어야 해.

①  나는 채소는 싫어! 고기만 먹을 거야.

②  할아버지, 저는 다 먹었으니까 먼저 갈게요.

③  와, 맛있다. 쩝쩝!

2 친구 집 방문 예절

1. 친구 집에 갈 때 지켜야 하는 예절을 알아봅시다.

1) 그림을 보고 가리켜 보세요.

2) 듣고 따라 하세요. 44

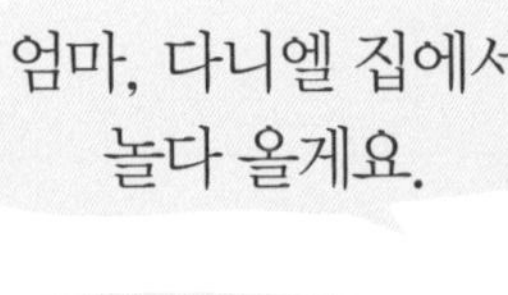

엄마, 다니엘 집에서 놀다 올게요.

그래. 그런데 양말을 안 신었어? 친구 집에 갈 때는 양말을 신는 게 좋아.

네, 알겠어요.

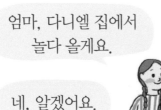

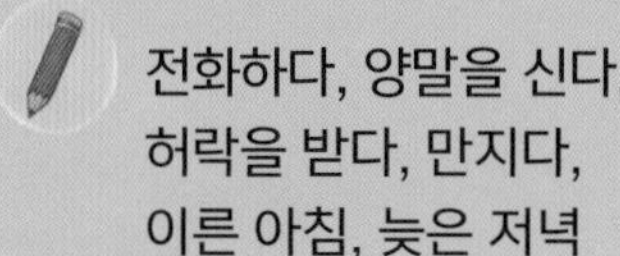
전화하다, 양말을 신다,
허락을 받다, 만지다,
이른 아침, 늦은 저녁

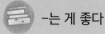

-는 게 좋다

2. 친구 집을 방문할 때 지켜야 하는 예절을 읽어 봅시다.

1) 방문 예절을 읽어 보세요.

① 친구 집에 가기 전에 미리 전화를 하는 게 좋아요.

② 맨발로 가지 않고 양말을 신는 게 좋아요.

③ 친구 부모님을 만나면 인사를 잘 해야 해요.

④ 친구 부모님의 허락을 받고 친구 집 물건을 만져야 해요.

⑤ 이른 아침이나 늦은 저녁에는 가지 않는 게 좋아요.

2) 방문 예절을 잘 지킨 친구는 ☺에, 예절을 안 지킨 친구는 ☹에 색칠해 보세요.

3. 친구 집에 갈 때 예절을 잘 지켰나요? 친구들 앞에서 이야기해 봅시다.

3 공공장소

1. 사람들이 같이 이용하는 장소에서 지켜야 하는 예절을 알아봅시다.

1) 공공장소예요. 그림을 보고 가리켜 보세요.

도서관

음식점

영화관

버스 정류장

지하철역

기차역

공항

차례를 지키다

뛰어다니다

조용히 (하다)

시끄럽게 (하다)

2) 1)의 장소 중에서 가 본 곳에 ○표 해 보세요.

음식점, 영화관, 버스 정류장, 지하철역, 기차역, 공항, 차례를 지키다, 뛰어다니다, 조용히, 시끄럽게

2. 공공장소와 거기에서 지켜야 하는 예절을 말해 봅시다.

1) 여기는 어디일까요? 써 보세요.

①	음식을 사 먹는 곳이에요.	
②	기차를 타는 곳이에요.	
③	책을 읽거나 빌리는 곳이에요.	
④	비행기를 타는 곳이에요.	
⑤	버스를 기다리는 곳이에요.	

2) 공공장소에서 예절을 잘 지킨 친구에게 ○표, 예절을 지키지 않은 친구에게 X표 하세요.

① 
식당에서 뛰어다녀요.

② 
도서관에서 조용히 책을 봐요.

③ 
버스 안에서 시끄럽게 해요.

④ 
지하철을 탈 때 차례를 지켜요.

3. 우리 동네에 있는 공공장소를 이야기하고 그곳에서 지켜야 하는 예절을 친구들과 이야기해 봅시다.

4 놀이터 예절

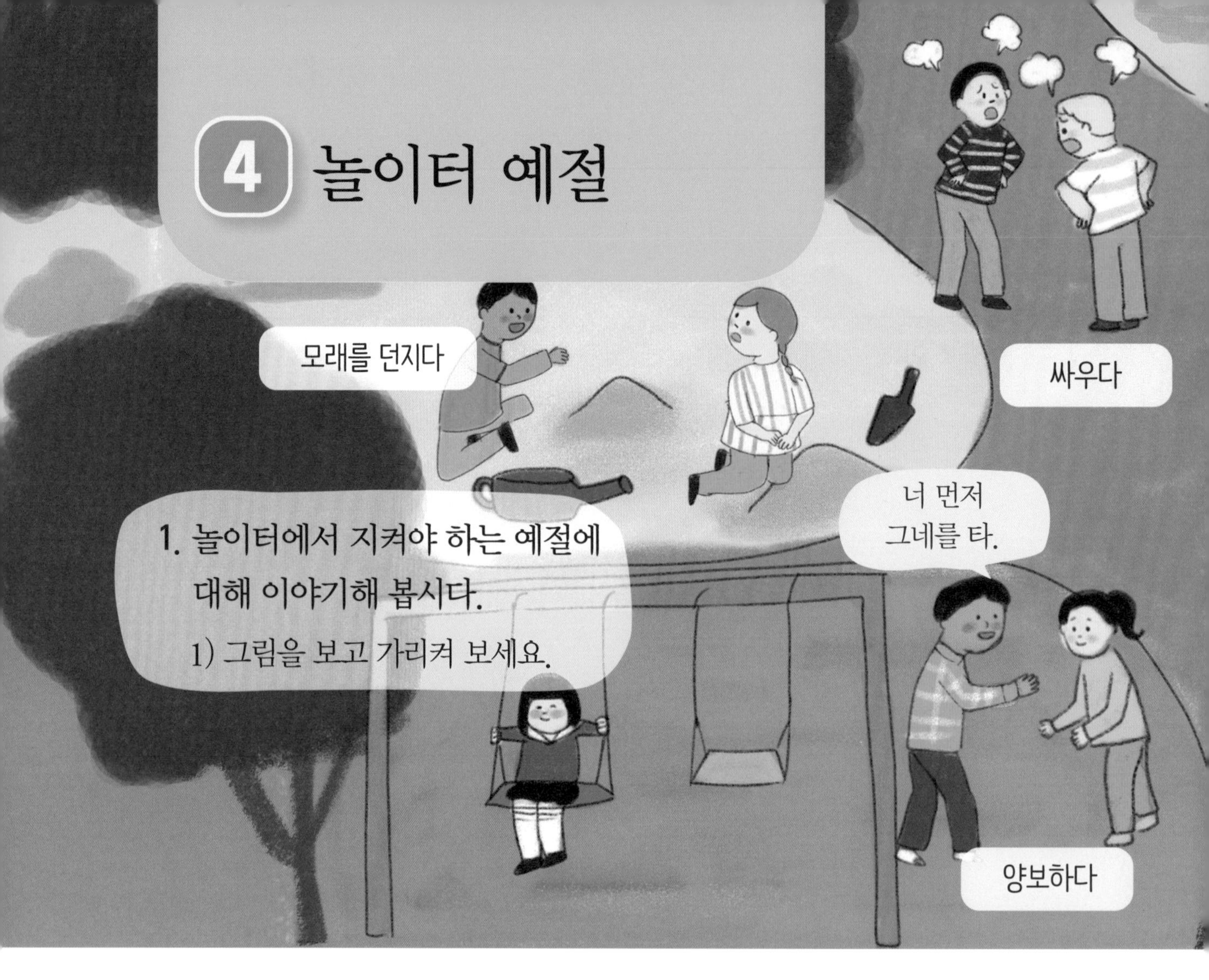

1. 놀이터에서 지켜야 하는 예절에 대해 이야기해 봅시다.

1) 그림을 보고 가리켜 보세요.

2. 타이선이 놀이터에서 지켜야 하는 예절을 〈보기〉와 같이 쓰고 말해 봅시다.

〈보기〉	친구에게 모래를 던지지 마.	네, 친구에게 모래를 던지지 않을게요.
①	미끄럼틀에서 거꾸로 올라가면 친구에게 부딪혀.	
②	벽에 낙서하는 건 나빠.	
③	친구와 싸우지 마.	
④	혼자만 타지 마. 서로 양보해야 해.	

모래를 던지다, 싸우다,
양보하다, 사과하다,
거꾸로 올라가다,
부딪히다, 낙서하다

-을게요

거꾸로 올라가다

부딪히다

미안해.

사과하다

낙서하다

3. 놀이터에서 지켜야 하는 예절을 읽고 친구들 앞에서 약속해 봅시다.

1) 읽어 보세요.

① 미끄럼틀에서 거꾸로 올라가지 않아요. 계단으로 올라가요.
② 친구에게 모래를 던지지 않아요.
③ 놀이 기구에 낙서하지 않아요.
④ 놀이터에서 친구와 싸우지 않아요.
⑤ 놀이 기구를 혼자만 계속 타지 않아요. 서로 양보해요.

2) 놀이터에서 지킬 예절을 약속해 보세요.

앞으로 놀이 기구를 혼자만 타지 않을게요.
친구에게 양보할게요.

5 버스 예절

1. 버스에서 지켜야 하는 예절에 대해 이야기해 봅시다.

1) 그림을 보고 가리켜 보세요.

손잡이를 잡다

노약자석

하차 벨을 누르다

멈추다, 차도, 새치기하다, 한 줄로 서다, 손잡이를 잡다, 노약자석, 하차 벨을 누르다

-지 말고

2) 버스 예절 안내문입니다. 읽어 보세요.

① 버스가 멈출 때까지 기다려요.
② 차도에 내려가지 않아요.
③ 새치기하지 말고 차례를 지키세요.
④ 뒷문으로 타지 말고 앞문으로 타세요.
⑤ 그냥 서 있지 말고 손잡이를 꼭 잡으세요.
⑥ 버스가 움직일 때 자리에서 일어나지 말고 버스가 멈추면 일어나세요.

2. 그림을 보고 알맞은 말을 〈보기〉와 같이 써 봅시다.

〈보기〉
앞사람을 밀지 말고 한 줄로 서세요.

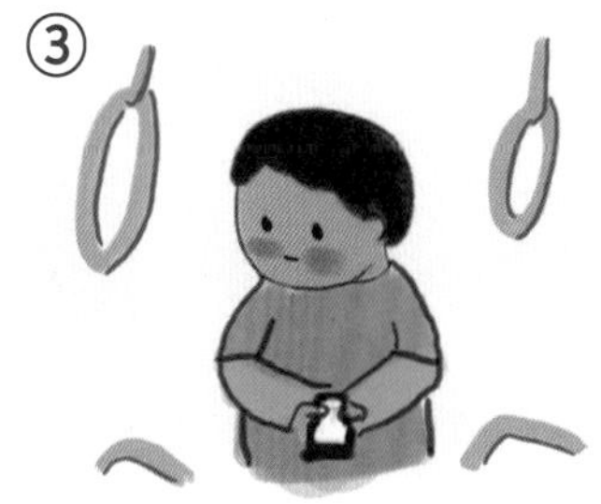

① 새치기를 ____________ 차례를 지키세요.

② 뒷문으로 ____________ 앞문으로 타세요.

③ 그냥 ____________ 손잡이를 잡으세요.

3. 버스 예절 중에서 무엇을 잘 지키고 있어요? 이야기해 봅시다.

6 음식점 예절

1. 음식점에서 식사할 때 지켜야 하는 예절에 대해 이야기해 봅시다.

1) 그림을 보고 〈보기〉에서 골라 써 보세요.

〈보기〉 돌아다니다 의자에 올라가다 음식을 쏟다 뜨거운 음식을 만지다 코를 풀다

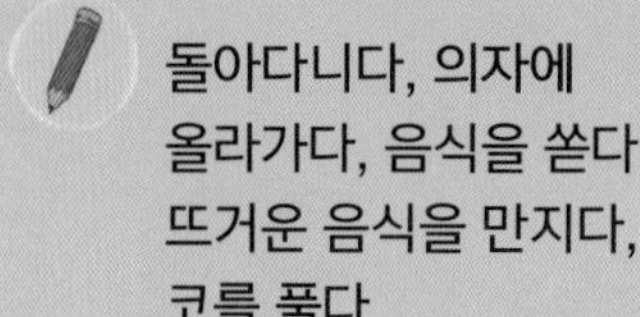

돌아다니다, 의자에 올라가다, 음식을 쏟다, 뜨거운 음식을 만지다, 코를 풀다

2. 부모님의 말씀에 알맞은 대답을 〈보기〉에서 찾아봅시다.

〈보기〉
뜨거운 음식을 만지지 않을게요. 음식을 쏟지 않을게요.
의자 위에 올라가지 않을게요. 돌아다니지 않을게요.

①

유키, 돌아다니지 말고 자리에 앉는 게 어때?

②

타이선, 음식을 쏟지 말고 조심해서 먹어.

③

다니엘, 뜨거운 음식을 만지지 마.

④

엠마, 신발을 신고 의자 위에 올라가면 안 돼.

3. 음식점에서 지켜야 하는 예절이 더 있어요? 친구들과 같이 이야기해 봅시다.

7 학교 아침 방송 듣기

1. 선생님의 말씀을 들어 봅시다. 45

1) 선생님이 이야기한 예절을 잘 지킨 친구에게 ○표 해 보세요.

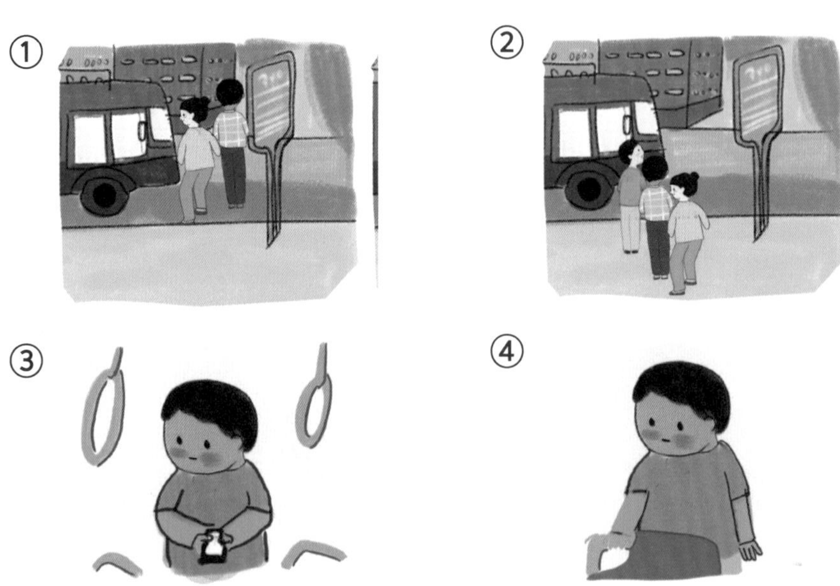

2) 다시 듣고 빈칸에 알맞은 말을 써 보세요.

안녕하세요. 나래초등학교 학생 여러분.

오늘은 버스를 탈 때 지켜야 하는 ① __________에 대해 이야기할게요.
먼저 버스가 도착하기 전에 차도에 ② __________지 마세요.
차에 부딪힐 수 있어요.
그리고 버스를 탈 때 한 줄로 서서 ③ __________ 해요.
새치기하면 안 돼요.
그리고 버스에서는 꼭 ④ __________을/를 잡아야 해요.
그렇지 않으면 버스가 갑자기 멈출 때 넘어질 수 있어요.
우리 모두 버스 예절을 잘 지키는 나래초등학교 학생이 됩시다.

2. 친구들의 행동을 보고 물음에 답해 봅시다.

1) 친구들이 어떤 예절을 잘 지키지 않았는지 말해 보세요.

2) 친구들에게 어떤 말을 해 주어야 할지 쓰고 말해 보세요.

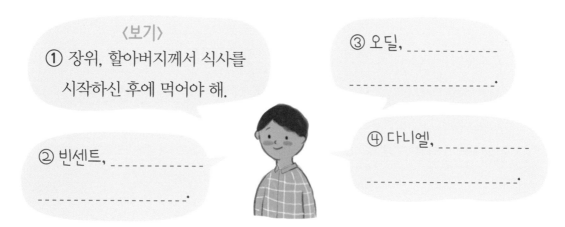

〈보기〉
① 장위, 할아버지께서 식사를 시작하신 후에 먹어야 해.

② 빈센트, ____________ ____________________.

③ 오딜, ____________ ____________________.

④ 다니엘, ____________ ____________________.

8 이야기 읽기

1. 장위의 이야기를 읽고 물음에 답해 봅시다.

1) 읽어 보세요.

지난주 토요일 저녁에 가족과 같이 음식점에 갔어요.
저는 음식점에 들어가서 조용히 자리에 앉았어요.
그런데 옆자리의 아이는 이리저리 돌아다녔어요.
뜨거운 음식 때문에 위험해 보였어요.
다른 아이는 신발을 신고 의자 위에 올라갔어요.
아이의 엄마는 아이들에게 이렇게 말했어요.
"______________________________"

엄마의 말을 듣고 아이들은 조용해졌어요.
예절을 지키지 않는 사람들 때문에 저는 기분이 조금 나빴어요.
공공장소에서 모두 예절을 잘 지켰으면 좋겠어요.

2) 장위는 음식점에 가서 어떻게 했어요?

____

3) 옆자리 아이들은 음식점에서 어떻게 했어요?

____

4) 엄마는 아이들에게 무슨 말을 했을까요?

____

2. 질서나 예절을 지키지 않는 사람 때문에 기분이 나쁜 적이 있었나요? 친구들처럼 이야기해 봅시다.

질서나 예절을 지키지 않는
친구 때문에 기분이
나쁜 적이 있었어요?

놀이터에서 놀 때
친구가 혼자만 계속 그네를 타서
기분이 나빴어요.

버스 탈 때
뒷사람이 줄을 안 서고 새치기를
해서 기분이 나빴어요.

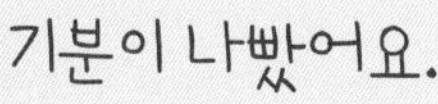

기분이 나빴어요.

나

9 게임하며 말하기

1. 그림을 보고 대답해 봅시다.

1) 예절을 잘 지킨 친구는 누구예요? 무엇을 잘했어요?

2) 예절을 안 지킨 친구는 누구예요? 어떻게 하면 좋을까요?

2. '내가 예절왕' 빙고 놀이를 해 봅시다. 붙임 딱지

〈놀이 방법〉

① 빙고판에 9개의 붙임 딱지를 붙여 보세요.

② 자신이 붙인 붙임 딱지 속 친구들이 어떤 예절을 지켰는지, 어떤 예절을 안 지켰는지 하나씩 말해 보세요.

③ 친구들의 이야기를 듣고 가로, 세로, 대각선 모두 완성한 사람은 '내가 예절왕'이라고 크게 외치세요.

[붙임 딱지]	[붙임 딱지]	[붙임 딱지]
[붙임 딱지]	[붙임 딱시]	[붙임 딱지]
[붙임 딱지]	[붙임 딱지]	[붙임 딱지]

10 생각 넓히기

1. 다음은 세계 여러 나라의 식사 예절입니다. 읽어 봅시다.

한국

- 숟가락과 젓가락을 한 손에 들고 먹지 않아요.
- 어른이 식사를 시작한 후에 먹어요.

미국

- 식사할 때 포크와 나이프를 사용해요.
- 식사할 때 소리를 내지 않아요.

일본

- 식사할 때 젓가락을 사용해요.
- 밥그릇을 들고 먹어도 돼요.
- "잘 먹겠습니다."라고 말하고 식사를 시작해요.

인도

- 식사할 때 손을 사용해도 돼요.
- 음식을 먹기 전에 꼭 손을 씻어야 해요.
- 식사할 때는 반드시 오른손을 사용해야 해요.

2. 어느 나라의 식사 예절입니까? 나라 이름을 써 봅시다.

저는 밥 먹을 때 포크와
나이프를 사용해요.
먹을 때 보통 소리를 내지 않고
조용히 먹어요.

①

우리 나라 사람들은 식사할 때
꼭 오른손을 써야 해요.
그리고 식사하기 전에
손을 깨끗하게 씻어야 해요.

②

우리는 밥을 먹기 전에 "잘 먹겠습니다."라고
꼭 인사를 해야 해요.
한국과 달리 밥그릇을 들고 먹어도 되고
젓가락으로 밥을 먹어도 돼요.

③

3. 여러분이 알고 있는 부모님 나라의 식사 예절은 무엇입니까?

저는 ______________ 에서 왔어요. ______________ 에도
식사 예절이 있어요. 식사할 때 ______________ 어야 해요.
그리고 ____

____.

듣기 지문

1단원 • 친구

1. 친구와 인사하기

Track 1

① 엄마: 다니엘, 안녕!
다니엘: 엄마, 안녕!

② 준서: 잘 가.
유키: 잘 가. 내일 보자.

③ 장위: 나는 장위야. 만나서 반가워.
빈센트: 나는 빈센트야. 만나서 반가워.

④ 준서: 내가 도와줄 수 있어.
타이선: 고마워.

⑤ 서영: 괜찮아?
엄마: 괜찮아.

⑥ 장위: 축하해.
오딜: 고마워.

Track 2

우리 우리 친구들 안녕, 안녕.
친구들아 인사해. 반가워.

2. 새 짝

Track 3

① 타이선: 내 짝은 엠마예요. 엠마는 머리가 길어요. 그리고 얼굴이 작아요.

② 장위: 내 짝은 타이선이에요. 타이선은 키가 크고 다리가 길어요.

③ 다니엘: 내 짝은 유키예요. 유키는 머리가 짧아요. 그리고 날씬해요.

④ 유키: 내 짝은 다니엘이에요. 다니엘은 몸이 튼튼하고 힘이 세요.

6. 친구 칭찬하기

Track 4

빈센트: 안녕하세요. 빈센트예요. 저는 모르는 게 많아요. 친절하게 잘 알려 주세요.

선생님: 빈센트는 언제 한국에 왔어요?

빈센트: 저는 2월에 왔어요.

선생님: 빈센트는 2월에 한국에 왔어요. 그리고 3개월이 지났어요. 빈센트는 한국에 온 지 3개월이 됐어요.

빈센트: 네. 벌써 한국에 온 지 3개월이 됐어요.

선생님: 그런데도 한국어를 참 잘해요. 만나서 반가워요.

2단원 • 가족과 친척

2. 가족사진

Track 5

유키가 수영을 합니다.
아버지께서 수영을 하십니다.
유키가 웃습니다.
어머니께서 웃으십니다.

동생이 방에 있습니다.
어머니께서 방에 계십니다.
동생이 낮잠을 잡니다.
어머니께서 낮잠을 주무십니다.

3. 가족 소개

Track 6

우리 가족이에요.
아버지께서는 회사에 다니세요.

어머니께서는 선생님이세요.
동생은 유치원에 다녀요.
저는 장위예요.
우리 가족은 서로 사랑해요.

5. 가족 안부

Track 7

서영: 엄마, 언제 오세요?
엄마: 응, 내일 집에 가. 아빠 오셨어?
서영: 네.
엄마: 아빠 뭐 하시니?
서영: 지금 샤워하고 계세요.
엄마: 동생들은?
서영: 한 명은 텔레비전 보고 있고, 한 명은 밥 먹고 있어요.
엄마: 너는 밥 먹었니?
서영: 네, 다 먹었어요. 지금 숙제하고 있어요. 엄마, 보고 싶어요.
엄마: 나도 보고 싶어. 내일 빨리 갈게.

8. 효도 이용권 만들기

Track 8

유키: 엄마, 5월 8일이 어버이날이에요. 그래서 오늘 학교에서 효도 이용권을 만들었어요.
엄마: 효도 이용권? 어디 보자. 심부름 이용권, 설거지 이용권, 일찍 일어나기 이용권……. 야, 진짜 좋다. 고마워, 유키야.

10. 생각 넓히기

Track 9

할머니, 안녕히 주무셨어요?
잘 먹겠습니다.
아빠, 안녕히 주무세요.

3단원 • 학교 수업

1. 시간표

Track 10

장위: 오늘 무슨 요일이야?
준서: 화요일이야.
장위: 오늘 국어를 배운 후에 뭐 해?
준서: 과학을 배워.
장위: 수요일에 미술하기 전에 뭐 해?
준서: 사회를 해.

2. 학교 준비물

Track 11

내일 운동장에서 체육을 할 거예요. 운동복을 입고 오세요. 그리고 줄넘기 줄도 가져오세요. 수학 곱셈과 나눗셈 문제를 풀어 오세요.

3. 과학 시간

Track 12

선생님: 책상 위에 설탕, 소금, 밀가루가 있어요. 물에 섞어 보세요.
오딜: 이것은 물에 녹지 않았어요. 밀가루예요.
선생님: 네, 오딜이 섞은 것은 밀가루예요.
엠마: 이것은 맛이 달아요. 설탕이에요.
선생님: 네, 엠마가 섞은 것은 설탕이에요.
다니엘: 이것은 맛이 짜요. 소금이에요.
선생님: 네, 다니엘이 섞은 것은 소금이에요.

4. 수학 시간

Track 13

선생님: 시계가 지금 몇 시를 가리켜요?
타이선: 7시 30분이에요.
선생님: 타이선은 오늘 저녁 7시 30분에 뭐 할 거예요?

타이선: 오늘 배운 것을 다시 공부할 거예요.
선생님: 아, 복습할 거예요? 예습도 할 거예요?
타이선: 네, 수학을 예습할 거예요.

6. 학교 행사

Track 14
장위: 도서관 행사에서 뭐 해요?
선생님: 동화 작가를 만나거나 독서 신문을 만들어요.
장위: 둘 다 할 수 있어요?
선생님: 아니요. 같은 시간에 같이 해요. 그래서 하나만 할 수 있어요.

Track 15
장위: 영어 교실에서 뭐 해요?
선생님: 영어 책을 읽거나 원어민 선생님과 대화해요.
장위: 둘 다 할 수 있어요?
선생님: 아니요. 같은 시간에 같이 해요. 그래서 하나만 할 수 있어요.

8. 알림장과 달력 쓰기

Track 16
타이선: 오늘 숙제가 뭐야?
엠마: 수학 익힘책 78쪽부터 81쪽까지 풀어 오기야.
타이선: 내일 준비물 있어?
엠마: 응, 읽고 싶은 책을 준비해.

Track 17
우리 학교는 매월 첫 번째 주 월요일에 도서관 행사를 합니다.
7월 6일은 노래 부르기 대회를 하는 날입니다.
우리 반은 매주 수요일에 수학 교실을 합니다.
여름 방학식은 7월 26일입니다.

4단원 • 날씨와 계절

1. 오늘의 날씨

Track 18
다니엘: 엄마, 오늘 날씨가 어때요?
엄마: 눈이 많이 와.
다니엘: 지금 몇 도예요?
엄마: 영하 8도야.

3. 여름 놀이

Track 19
선생님: 여름에 무엇을 할 수 있어요?
장위: 물놀이를 할 수 있어요.
오딜: 맛있는 수박도 먹을 수 있어요.

4. 겨울 놀이

Track 20
타이선: 눈이 오니까 좋아.
장위: 맞아. 눈이 오면 눈사람을 만들 수 있어. 눈이 더 쌓이면 눈썰매를 타러 가자!

5. 좋아하는 계절

Track 21
유키: 엄마, 꽃이 활짝 피었어요. 저는 예쁜 꽃을 볼 수 있어서 봄이 좋아요.
엄마: 엄마는 예쁜 단풍을 구경할 수 있어서 가을이 좋아.

Track 22
유키: 서영아, 안녕. 같이 학교 가자.
서영: 그래. 벌써 여름이야! 더워서 땀이 줄줄 흘러. 하지만 나는 수영을 할 수 있어서 여름이 좋아. 유키, 넌 어느 계절이 좋아?
유키: 나는 가을이 좋아. 빨갛고 노란 단풍을

볼 수 있잖아.

6. 날씨에 따라 주의할 점

Track 23

선생님: 여러분, 요즘 날씨가 어때요?

장위: 아침에는 쌀쌀하고 오후에는 조금 더워요.

선생님: 이럴 때 감기에 잘 걸려요. 아침에 학교에 올 때 겉옷을 꼭 입고 오세요.

학생들: 네.

선생님: 그리고 더울 때는 시원한 물을 자주 마셔요. 집에 돌아가면 손을 깨끗하게 씻고요.

학생들: 네, 선생님.

8. 일기 예보 말하기

Track 24

엄마: 타이선, 일찍 왔네.

타이선: 네, 눈도 오고 추워서 친구들과 밖에서 놀 수가 없었어요.

엄마: 어서 와서 따뜻한 우유를 마셔.

타이선: 네, 엄마. 그런데 지금 몇 도예요?

엄마: 지금 영하 10도야.

타이선: 내일도 눈이 올까요?

엄마: 글쎄, 일기 예보를 보면 날씨를 알 수 있으니까 이따가 일기 예보를 보자.

9. 이야기 읽기

Track 25

해님과 바람 – 이솝 우화

바람: 나는 힘이 세서 무엇이든 다 할 수 있어.

해: 정말? 힘으로 할 수 없는 것도 있어.

바람: 그게 뭐야?

해: 내가 알려 줄게. 바람아, 우리 시합할까?

바람: 그래, 좋아.

해: 우리 저 사람의 외투를 벗기는 시합을 하자.

바람: 좋아.

해설: 바람이 후 하고 세게 불었어요.

남자: 왜 이렇게 바람이 불지? 너무 추워.

해설: 남자는 외투를 더 꽉 잡았어요. 바람이 더 세게 불었어요. 하지만 남자는 옷을 벗지 않았어요. 이번에는 해님 차례였어요. 해님은 더 쨍쨍 햇볕을 내리쬈어요.

남자: 정말 더워.

해설: 남자는 땀을 줄줄 흘렸어요. 그리고 마침내 외투를 벗었어요. 바람이 이 시합에서 졌어요. 그 후로 바람은 다시는 힘자랑을 하지 않았어요.

5단원 • 방학

1. 방학하는 날

Track 26

선생님: 내일부터 여름 방학이에요. 방학 재미있게 보내세요.

장위: 언제 학교 와요?

선생님: 8월 27일에 개학하니까 그날 학교에 오세요.

장위: 겨울 방학은 언제 해요?

선생님: 하하하, 벌써 겨울 방학이 궁금해요?

장위: 네, 그때 중국 할아버지 댁에 갈 거예요.

선생님: 좋겠어요. 겨울 방학은 12월 24일부터 1월 28일까지예요.

5. 방학 여행

Track 27

엄마: 이번 방학에는 제주도로 여행 갈 거야.

엠마: 엄마, 제주도 가기 전에 뭐 준비해요?

엄마: 바다에 가니까 수영복이랑 모자를 준비해.

엠마: 한라산에도 가요?

엄마: 한라산에도 가. 한라산에 갈 때 운동화랑

우산도 가져갈 거야.

6. 겨울 방학에 한 일

Track 28

선생님: 겨울 방학에 무엇을 했어요?
다니엘: 저는 친구들과 눈싸움을 했어요.
서영: 저는 할머니 댁에 갔어요.
장위: 저는 중국에서 친척을 만났어요.
오달: 저는 영어를 배웠어요.
준서: 저는 눈썰매를 탔어요.
선생님: 여러분 모두 겨울 방학을 재미있게 보내서 선생님도 좋아요.

6단원 • 음식과 맛

1. 음식과 맛

Track 29

장위: 엄마, 뭐 만드세요?
엄마: 불고기를 만들고 있어.
장위: 불고기는 무슨 맛이에요?
엄마: 짠맛도 나고 단맛도 나. 한번 먹어 봐.

2. 여러 가지 음식

Track 30

오달: 많이 먹으면 뚱뚱해지는 음식은 치킨이야.
내가 좋아하는 음식은 비빔밥이야.
내가 싫어하는 음식은 생선구이야.
내가 못 먹는 음식은 삼겹살이야.

3. 음식 먹는 방법

Track 31

엠마: 엄마, 삼겹살은 어떻게 먹어요?
엄마: 상추에 고기를 싸서 먹는 거야.
엠마: 그럼 만두는요?
엄마: 만두는 간장에 찍어서 먹으면 맛있어.

4. 요리법

Track 32

안녕하세요. 오늘은 삶은 달걀 샌드위치를 만들 거예요.
먼저 물을 끓여요. 끓인 물에 달걀을 넣고 삶아요. 삶은 달걀을 작게 잘라요.
당근도 작게 잘라 주세요. 달걀, 당근, 설탕, 마요네즈를 섞어 주세요.
빵에 섞은 재료를 발라 주세요. 반으로 자른 빵을 예쁘게 접시에 놓으세요.
자, 이제 맛있게 드세요.

6. 급식 시간

Track 33

서영: 장위야, 음식이 흘러. 식판을 잘 들어.
장위: 고마워. 음식이 흐르는 줄 몰랐어.
서영: 국과 밥을 받을 때는 식판을 돌려.
장위: 응. 그런데 반찬을 더 먹고 싶을 때는 어떻게 말해?
서영: "반찬 좀 더 주세요."라고 말해.

8. 좋아하는 음식 설명하기

Track 34

제가 좋아하는 음식을 소개할게요. 제가 자주 먹는 음식은 떡볶이예요. 떡볶이에는 떡과 어묵과 달걀이 들어 있어요. 고추장을 넣어서 조금 매워요. 하지만 우리 엄마는 떡볶이를 만들 때 케첩을 조금 넣어요. 그래서 엄마가 만든 떡볶이는 맵지 않아요. 그리고 떡볶이를 우유와 같이 먹으면 더 맛있어요. 맛있는 떡볶이, 꼭 먹어 보세요.

9. 시 읽기

Track 35

몰래 몰래 먹으면 – 김준빔

달콤달콤 초콜릿
엄마 몰래 냠냠

새콤달콤 오렌지 주스
아빠 몰래 꿀꺽꿀꺽

아이 뜨거! 라면도
동생 몰래
후후 불어
후루룩후루룩

아이! 배 아파
꾸르륵꾸르륵

맛있는 건
몰래 말고
다 같이 냠냠

7단원 • 물건 사기

1. 물건 가격

Track 36

타이선: 아줌마, 이 과자 얼마예요?

주인: 1000원이야.

2. 물건을 살 수 있는 곳

Track 37

다니엘: 넌 어디에서 아이스크림을 사?

유키: 나는 슈퍼마켓에서 아이스크림을 사. 슈퍼마켓이 편의점보다 집에서 가까워.

3. 문구점에서 학용품 사기

Track 38

주인: 어서 오세요.

오딜: 안녕하세요. 알림장 두 권 주세요. 얼마예요?

주인: 1000원이에요.

오딜: 돈 여기 있어요.

4. 슈퍼마켓에서 물건 사기

Track 39

타이선: 아이스크림 3개 계산해 주세요.

주인: 모두 1500원이에요. 봉지에 넣어 줄까요?

타이선: 네, 봉지에 넣어 주세요.

주인: 여기 거스름돈 500원 있어요. 영수증 줄까요?

타이선: 네, 영수증 주세요. 감사합니다.

주인 : 또 오세요.

5. 옷 고르기

Track 40

엄마: 이 빨간색 티셔츠 어때?

엠마: 모양은 괜찮지만 색깔이 별로 마음에 안 들어요.

엄마: 그러면 다른 색을 골라 봐.

엠마: 저는 노란색이 마음에 들어요.

엄마: 그래, 그럼 저 노란색 티셔츠를 사자.

6. 용돈

Track 41

엄마: 유키야, 이번 주 용돈 3000원이야.

유키: 고마워요, 엄마.

엄마: 용돈을 어디에 쓸 거야?

유키: 돈을 모아서 장위 생일 선물을 살 거예요.

엄마: 뭘 살 거야?

유키: 장위는 책을 많이 읽는 편이어서 책을 사 줄 거예요.

9. 용돈 기입장 쓰기

Track 42

저는 9월 1일에 용돈을 받았어요. 이번 달에는 10000원을 받았어요. 9월 5일에 장위의 생일 선물을 샀어요. 그래서 3000원을 썼어요. 9월 7일에는 공책을 샀어요. 공책은 한 권에 1000원이었어요. 9월 10일에는 친구와 떡볶이를 사 먹었어요. 그래서 2000원을 더 썼어요. 9월 12일에 수업이 끝나고 혼자 햄버거를 사 먹었어요. 이제 용돈이 1000원밖에 안 남았어요.

8단원 • 예절

1. 식사 예절

Track 43

장위: 식사할 때 지켜야 하는 예절이 있어요?

선생님: 어른이 식사를 시작할 때까지 기다려야 해요.

장위: 또 다른 예절은요?

선생님: 밥을 먹을 때 소리를 내지 않아야 해요.

2. 친구 집 방문 예절

Track 44

엠마: 엄마, 다니엘 집에서 놀다 올게요.

엄마: 그래. 그런데 양말을 안 신었어? 친구 집에 갈 때는 양말을 신는 게 좋아.

엠마: 네, 알겠어요.

7. 학교 아침 방송 듣기

Track 45

안녕하세요. 나래초등학교 학생 여러분.

오늘은 버스를 탈 때 지켜야 하는 예절에 대해 이야기할게요. 먼저 버스가 도착하기 전에 차도에 내려가지 마세요. 차에 부딪힐 수 있어요. 그리고 버스를 탈 때 한 줄로 서서 차례를 지켜야 해요. 새치기하면 안 돼요. 그리고 버스에서는 꼭 손잡이를 잡아야 해요. 그렇지 않으면 버스가 갑자기 멈출 때 넘어질 수 있어요. 우리 모두 버스 예절을 잘 지키는 나래초등학교 학생이 됩시다.

정답

1단원 • 친구

2. 새 짝

1. 3) 길다, 짧다, 크다, 작다

2.

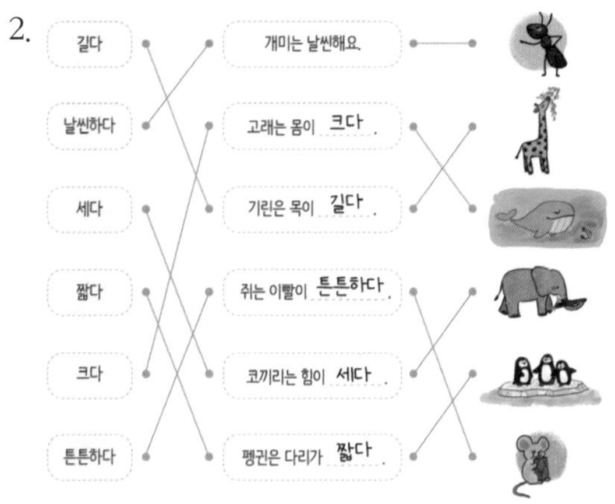

3. 친구에게 부탁하기

2. 1) ① 타이선이 친구에게 공을 던져요.
   ② 준서가 동생에게 딱지를 줘요.
   ③ 유키가 언니에게 뛰어가요.
   2) ① 오딜이 그네를 밀어 주었습니다.
   ② 엠마가 목걸이를 걸어 주었습니다.
   ③ 서영이가 손을 흔들어 주었습니다.
3. ② 밀어 줘.
   ③ 찍어 줘.

4. 친구 집

2. 1) ① 넓다 ② 깨끗하다 ③ 많다 ④ 들어가다
   2) 가도 돼, 다녀와도 돼요

5. 친한 친구

2. ① 짧게 ② 크게 ③ 친절하게

6. 친구 칭찬하기

2. ① 비가 안 온 지 한 달이 됐어요.
   ② 수업이 끝난 지 30분이 됐어요.
3. 1) ① 한국어 배운 지 얼마나 됐어? 한국어 참 잘한다.
   한국어 배운 지 3개월 됐어. 칭찬해 줘서 고마워.
   ② 태권도 배운 지 얼마나 됐어? 태권도 참 잘한다.
   태권도 배운 지 2개월 됐어. 칭찬해 줘서 고마워.
   ③ 피아노 배운 지 얼마나 됐어? 피아노 참 잘한다.
   피아노 배운 지 1년 됐어. 칭찬해 줘서 고마워.
   ④ 수영 배운 지 얼마나 됐어? 수영 참 잘한다.
   수영 배운 지 2년 됐어. 칭찬해 줘서 고마워.

2단원 • 가족과 친척

1. 우리 가족

2.

할아버지 할머니 할아버지 할머니
아버지 어머니 아빠 엄마
오빠 언니 나 남동생 여동생 누나 형 나 남동생 여동생

2. 가족사진

2.

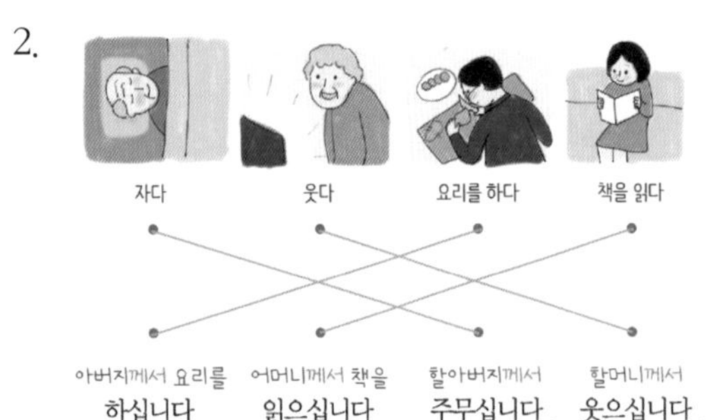

3. 가족 소개

1. 2) 다니세요, 이세요, 다녀요

2.

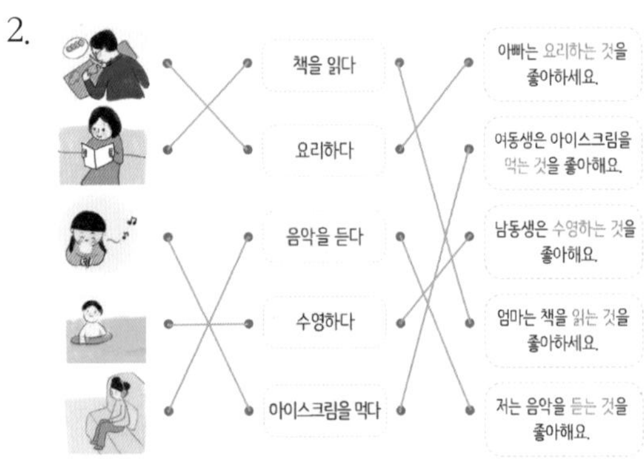

4. 가족 행사

1. 2) 졸업, 입학, 생신, 생신

2.

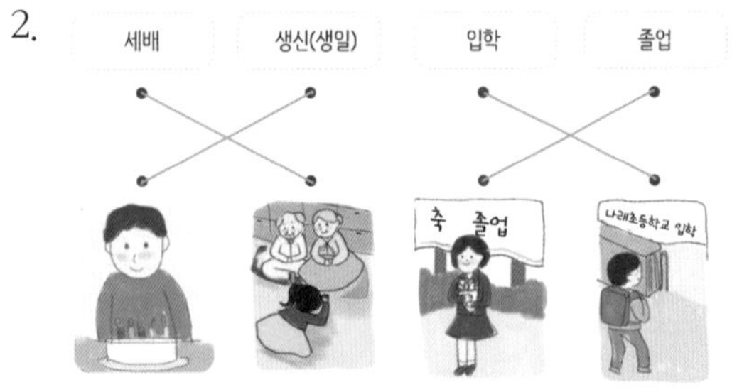

6. 친척

1. 2)

7. 가족과 한 일 쓰기

1. 2) 이모, 아버지, 형, 나
2. 께서, 주셨어요, 께서, 웃으셨어요

10. 생각 넓히기

1. 1) ①, ②, ④, ⑤, ③
2. ① 진지를, 드시고(잡수시고) 계세요
   ② 께, 드렸어요
   ③ 께, 드려요

3단원 • 학교 수업

1. 시간표

1. 1) 과학, 사회

2. 학교 준비물

2. ① ○ ② × ③ ○ ④ ×
3. ① 입고 오기 ② 가져오기 ③ 풀어 오기

3. 과학 시간

1. 1) 섞은, 섞은, 소금이에요
   2) 않은 것, 짠

2.

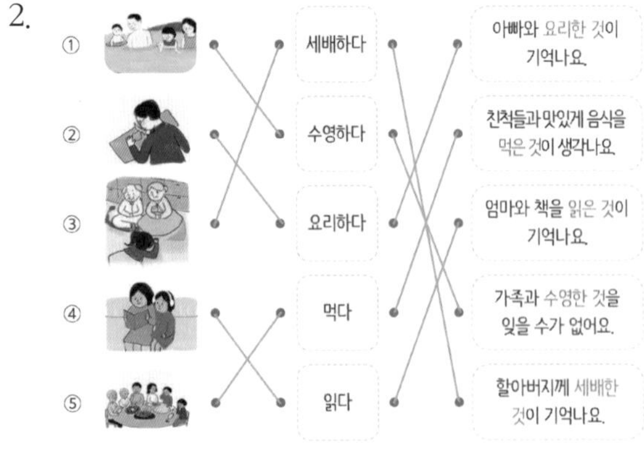

5. 학교 수업

2.

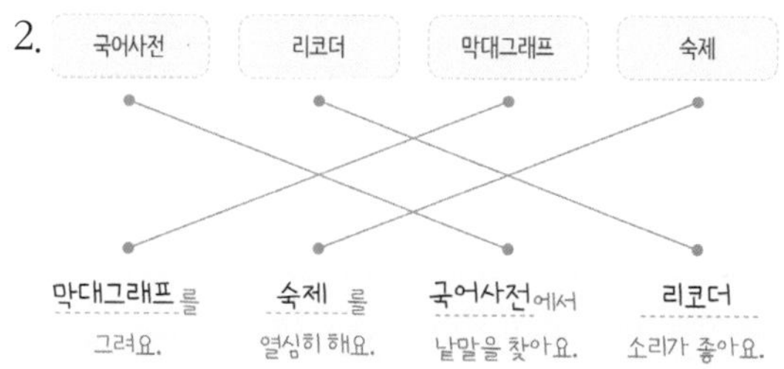

3. 2) 수학, 사회, 수업이, 숙제는, 사회, 미술, 국어, 만들 것입니다

6. 학교 행사

2.

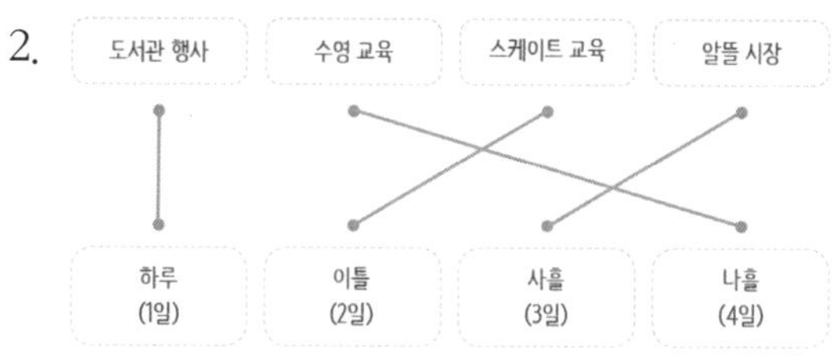

7. 이야기 읽기

2. ① 등교하기 ② 준비하기
③ 색종이, 가위, 풀 준비하기

8. 알림장과 달력 쓰기

1. 3) ① 숙제, 풀어 오기
② 읽고 싶은 책 (준비하기)

2. 2)

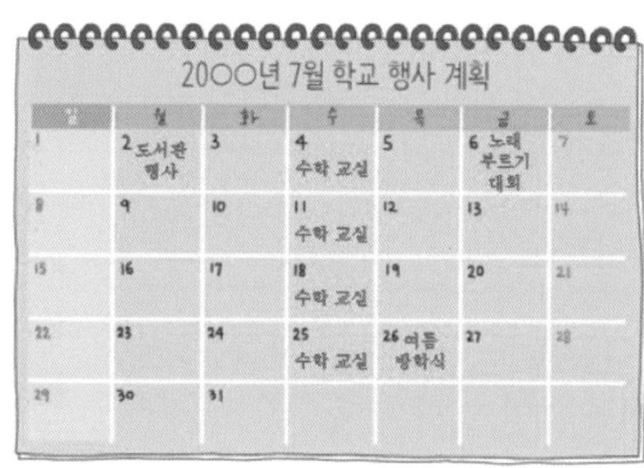

9. 안전한 생활

2. 2)

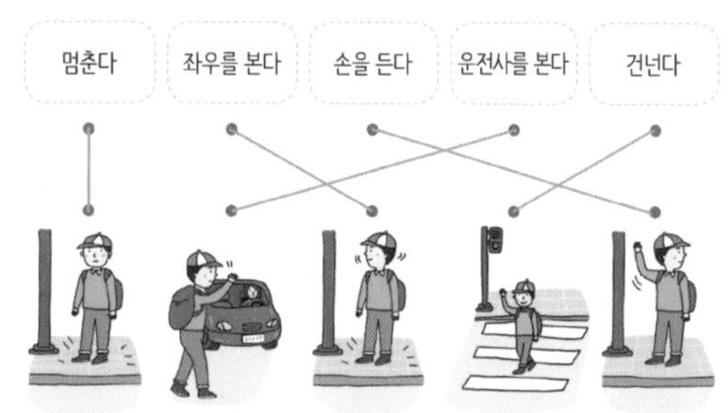

10. 생각 넓히기

1. 2)

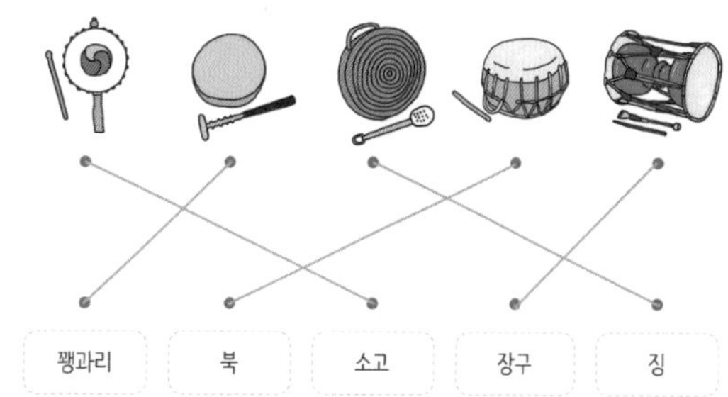

2. 2) 콩 마라카스, 쌀 마라카스, 밀가루 마라카스, 콩, 밀가루

4단원 • 날씨와 계절

1. 오늘의 날씨

2.

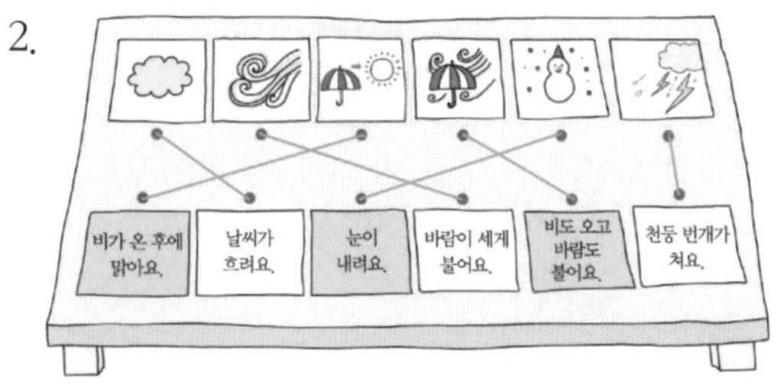

2. 날씨와 옷차림

1. 2) 짧은, 얇은, 두꺼운, 노란, 따뜻한, 긴

2. ① ② ③

날씨가 추워요.
두꺼운 외투를 입어요.
따뜻한 장갑도 껴요.

비가 와요.
노란 비옷을 입어요.
긴/노란 장화도 신어요.

날씨가 더워요.
짧은 반바지를 입어요.
짧은 티셔츠도 입어요.

3. 여름 놀이

2. ①, ③

4. 겨울 놀이

2. ① 겨울 방학이 되면 스케이트를 타러 갈 거예요.
   겨울 방학이 되면 눈썰매를 타러 갈 거예요.
   ② 눈이 오면 눈싸움을 할 거예요.
   눈이 오면 눈썰매를 탈 거예요.
   눈이 오면 눈사람을 만들 거예요.
3. 1) 겨울 방학이 되면 할아버지 집에 갈 거예요.
   2) 아빠랑 할아버지랑 같이 얼음낚시를 하러 갈 거예요.

5. 좋아하는 계절

2. 날씨가 추워서 손이 꽁꽁 얼었어요.
   단풍이 들어서 단풍 구경을 갔어요.
3. 1) ②
   2) ③

6. 날씨에 따라 주의할 점

3. ① 겉옷을 입고 오세요.
   ② 시원한 물을 자주 마셔요.
   ③ 손을 깨끗하게 씻어요.

7. 그림일기 읽기

1. 비(비가 옴.), 맑음, 바람(바람이 강함.)
2. 오늘은 눈이 많이 내렸다. 날씨가 추워서 두꺼운 외투를 입었다. 따뜻한 모자를 쓰고 장갑도 꼈다. 친구들과 같이 눈싸움도 했다. 눈이 더 쌓이면 눈썰매도 탈 것이다.

8. 일기 예보 말하기

1. 1) ③
   3) 일기 예보를 봐요.

9. 이야기 읽기

2. 후, 꽉, 쨍쨍, 줄줄

10. 생각 넓히기

1.

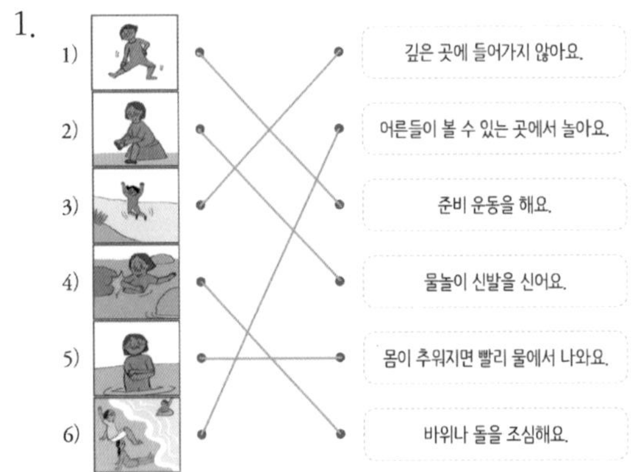

1)
2)
3)
4)
5)
6)
깊은 곳에 들어가지 않아요.
어른들이 볼 수 있는 곳에서 놀아요.
준비 운동을 해요.
물놀이 신발을 신어요.
몸이 추워지면 빨리 물에서 나와요.
바위나 돌을 조심해요.

5단원 • 방학

1. 방학하는 날

1. 1) 여름 방학, 개학, 겨울 방학
   2) 8월 27일, 하니까
2. ① 이니까 ② 재미있으니까 ③ 더우니까
   ④ 추우니까 겨울 방학을 해요

2. 여름 방학

2.

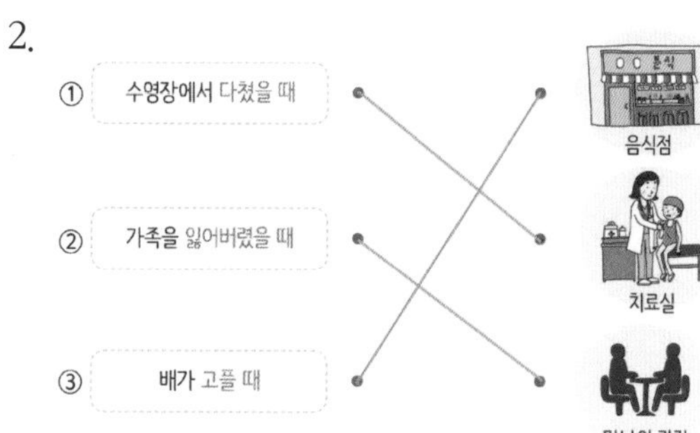

① 수영장에서 다쳤을 때
② 가족을 잃어버렸을 때
③ 배가 고플 때
음식점
치료실
만남의 광장

3. 방학 숙제

2. ① 영화나 연극을 ② 바다나 산
   ③ 기차나 비행기를

4. 방학 규칙

2. ① 눈이 오지 않아요
   ② 읽지 않아요
   ③ 많지 않아요
3. 1) ① ○ ② × ③ × ④ × ⑤ ○ ⑥ ×

5. 방학 여행

1. 1) 반바지, 수영복, 양말, 모자, 우산, 휴지, 운동화, 속옷, 휴대 전화
2. 2) ① 수영복이랑 모자 ② 운동화랑 우산

6. 겨울 방학에 한 일

1. 1) ① 할머니 댁에 갔어요
   ② 친척을 만났어요
   ③ 영어를 배웠어요 ④ 탔어요
2. ① 스키장에 갔다 ② 스키를 탔다
   ③ 스키를 배웠다 ④ 아빠를 만났다

7. 방학 일기

2. 에 갔다, 을 때, 으니까

8. 보고서 읽기

1. 예쁘게 잘리지 않아서, 바르는 것이, 만드니까

6단원 • 음식과 맛

1. 음식과 맛

2. 1) 약은 써요.
   도넛은 달아요.
   레몬은 시어요(셔요).
   떡볶이는 매워요.
   김치찌개는 짜고 매워요.
   햄은 짜요.

2. 여러 가지 음식

2. ① 급식 시간에 자주 나오는 음식은 불고기예요.
   ② 엄마가 잘 만드시는 음식은 잡채예요.
   ③ 빵집에서 파는 것은 식빵이에요.
   ④ 슈퍼마켓에서 살 수 있는 것은 라면이에요.
   ⑤ 내가 안 좋아하는 음식은 삼겹살이에요.

3. 음식 먹는 방법

2.

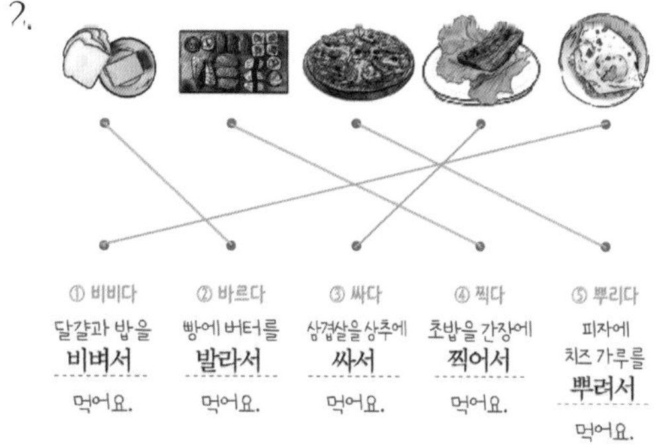

① 비비다
달걀과 밥을 비벼서 먹어요.
② 바르다
빵에 버터를 발라서 먹어요.
③ 싸다
삼겹살을 상추에 싸서 먹어요.
④ 찍다
초밥을 간장에 찍어서 먹어요.
⑤ 뿌리다
피자에 치즈 가루를 뿌려서 먹어요.

4. 요리법

2. ① 끓여요 ② 삶아요
   ③ 잘라요 ④ 잘라요

⑤ 섞어요

3. ① 끓여요 ② 볶아요
   ③ 구워요 ④ 삶아요

5. 생일에 먹는 음식

2. 1) 과자, 주스
   2) 수첩
   3) 미역국, 잡채
   4) 보드게임

6. 급식 시간

2. ① 들 ② 흘러요
   ③ 돌려요 ⑤ 주세요, 주세요

8. 좋아하는 음식 설명하기

1. 1) ③
   2) ②

9. 시 읽기

2. 1) ① 냠냠 ② 꿀꺽꿀꺽 ③ 후루룩후루룩
      ④ 꾸르륵꾸르륵
   2) 냠냠, 꿀꺽꿀꺽, 후후, 후루룩후루룩, 꾸르륵꾸르륵

10. 생각 넓히기

2. ① 추석 ② 설날 ③ 동지 ④ 생일

7단원 • 물건 사기

1. 물건 가격

2. ① 육백 원 ② 구백 원
   ③ 이천 원 ④ 팔천 원
   ⑤ 삼만 오천 원

2. 물건을 살 수 있는 곳

2. ① 편의점이 슈퍼마켓보다 집에서 가까워요.
   ② 편의점이 슈퍼마켓보다 늦게까지 해요.
   ③ 시장이 슈퍼마켓보다 물건값이 싸요.
   ④ 백화점이 시장보다 물건값이 비싸요.

3. 문구점에서 학용품 사기

2. ① 주인: 어서 오세요.
      오딜: 빨간 색연필 2자루 주세요. 얼마예요?
      주인: 모두 1000원이에요.
      오딜: 돈 여기 있어요.
   ② 주인: 어서 오세요.
      오딜: 흰색 도화지 3장 주세요. 얼마예요?
      주인: 모두 600원이에요.
      오딜: 돈 여기 있어요.
   ③ 주인: 어서 오세요.
      오딜: 12색 물감 주세요. 얼마예요?
      주인: 4500원이에요.
      오딜: 돈 여기 있어요.
   ④ 주인: 어서 오세요.
      오딜: 실내화 1켤레 주세요. 얼마예요?
      주인: 8000원이에요.
      오딜: 돈 여기 있어요.

4. 슈퍼마켓에서 물건 사기

3. 1) ① 주인: 어서 오세요.
         손님: 안녕하세요.
      ② 손님: 오렌지 주스 있어요?
         주인: 네, 저쪽에 오렌지 주스가 있어요.
      ③ 손님: 오렌지 주스 1병에 얼마예요?
         주인: 1병에 1000원이에요.
      ④ 손님: 오렌지 주스 2병 계산해 주세요.
         주인: 네, 모두 2000원이에요.
      ⑤ 주인: 봉지에 넣어 드릴까요?
         손님: 네, 봉지에 넣어 주세요.

⑥ 손님: 여기 5000원 있어요.
주인: 여기 거스름돈 3000원 있어요.
⑦ 손님: 안녕히 계세요.
주인: 안녕히 가세요. 또 오세요.

5. 옷 고르기

2. ① 모양이 마음에 들지만 작아요.
② 몸에 딱 맞지만 내가 좋아하는 색깔이 아니에요.
③ 모양이 예쁘지만 비싸요.
④ 예쁘지만 짧아요.

6. 용돈

1. 2) ① 용돈 기입장 ② 수입 ③ 지출 ④ 잔액
3. 1) ②
2) ③

7. 심부름 쪽지 읽기

1. 2) ①, ④

8. 알뜰 시장 놀이

1. 2) ① ☑ 네 ② ☑ 아니요 ③ ☑ 네 ④ ☑ 네

9. 용돈 기입장 쓰기

1. ① 용돈 ② 10000원 ③ 3000원 ④ 떡볶이
⑤ 햄버거

10. 생각 넓히기

2. ① 채소, 곡식 ② 생선, 조개 ③ 꽃 ④ 옷

8단원 • 예절

1. 식사 예절

2.

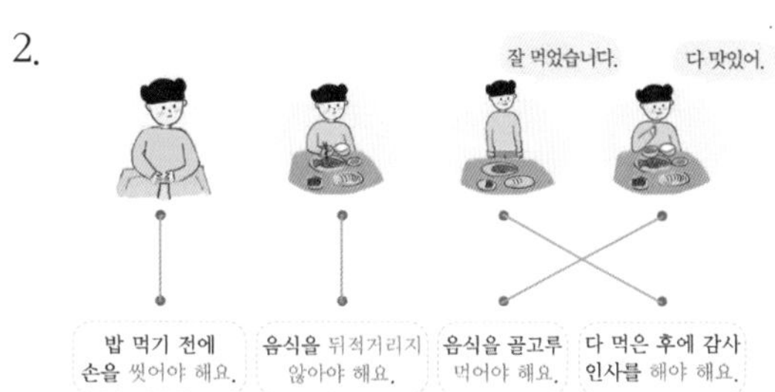

잘 먹었습니다.
다 맛있어.
밥 먹기 전에 손을 씻어야 해요.
음식을 뒤적거리지 않아야 해요.
음식을 골고루 먹어야 해요.
다 먹은 후에 감사 인사를 해야 해요.

3. ① 음식을 골고루 먹어야 해.
② 어른이 식사를 시작할 때까지 기다려야 해.
③ 밥 먹을 때 소리를 내지 않아야 해.

2. 친구 집 방문 예절

1. 2) ① ☺ ② ☺ ③ ☺ ④ ☺ ⑤ ☺

3. 공공장소

2. 1) ① 음식점 ② 기차역 ③ 도서관 ④ 공항
⑤ 버스 정류장
2) ① × ② ○ ③ × ④ ○

4. 놀이터 예절

2. ① 네, 미끄럼틀에서 거꾸로 올라가지 않을게요.(계단으로 올라갈게요.)
② 네, 벽에 낙서하지 않을게요.
③ 네, 친구와 싸우지 않을게요.(사이좋게 지낼게요.)
④ 네, 혼자만 타지 않을게요. 친구에게 양보할게요.

5. 버스 예절

2. ① 하지 말고 ② 타지 말고 ③ 서 있지 말고

6. 음식점 예절

1. 1) 돌아다니다, 의자에 올라가다, 음식을 쏟다, 뜨거운 음식을 만지다, 코를 풀다
2. ① 돌아다니지 않을게요.
   ② 음식을 쏟지 않을게요.
   ③ 뜨거운 음식을 만지지 않을게요.
   ④ 의자 위에 올라가지 않을게요.

7. 학교 아침 방송 듣기

1. 1) ②, ④
   2) ① 예절 ② 내려가 ③ 차례를 지켜야 ④ 손잡이를

8. 이야기 읽기

1. 2) 음식점에 들어가서 조용히 자리에 앉았어요.
   3) 음식점에서 이리저리 돌아다녔어요. 신발을 신고 의자 위에 올라갔어요.
   4) 돌아다니지 말고 자리에 앉아.
   신발을 신고 의자 위에 올라가지 마.

9. 게임하며 말하기

1. 1) 타이선, 유키
2. 2) 준서, 오딜, 다니엘, 장위

10. 생각 넓히기

2. ① 미국 ② 인도 ③ 일본

문법 색인

어휘 색인

ㅂ

ㅅ

ㅇ

담당 연구원 ——

정혜선 국립국어원 학예연구사
박지수 국립국어원 연구원

집필진 ——

책임 집필
이병규 서울교육대학교 국어교육과 교수

공동 집필
박지순 연세대학교 글로벌인재학부 교수
손희연 서울교육대학교 국어교육과 교수
안찬원 서울창도초등학교 교사
오경숙 서강대학교 전인교육원 교수
이효정 국민대학교 교양대학 교수
김세현 서울명신초등학교 교사
김정은 서울가원초등학교 교사
박유현 연세대학교 언어연구교육원 한국어학당 강사
박창균 대구교육대학교 국어교육과 교수
박혜연 서울교대부설초등학교 교사
박효훈 서울원명초등학교 교사
신윤정 서울도림초등학교 교사
이은경 세종사이버대학교 한국어학과 교수
이현진 서울천일초등학교 교사
최근애 서울사근초등학교 교사
강수연 서울선곡초등학교 다문화언어 교원

초등학생을 위한
표준 한국어
의사소통 2 · 고학년

초판 1쇄 발행 | 2019년 2월 28일
초판 6쇄 발행 | 2024년 3월 22일

기획 | 국립국어원
지은이 | 이병규 외
발행인 | 정은영
책임 편집 | 한미경
디자인 | 표지디자인붐, 본문디자인붐, 박기연, 박현정, 윤혜민
일러스트 | 우민혜, 민효인, 김채원
사진 제공 | 셔터스톡, 문화재청 국가문화유산포털, 네이버 블로거 양큼대리님, 구리 농산물 시장
음악 | KOMCA 승인 필

펴낸곳 | 마리북스
출판 등록 | 제2019-000292호
주소 | (04037) 서울시 마포구 양화로 59 화승리버스텔 503호

전화 | 02)336-0729, 0730
팩스 | 070)7610-2870
이메일 | mari@maribooks.com
인쇄 | (주)금명문화

ISBN 978-89-94011-09-7 (64710)
978-89-94011-91-2 (64710) set